한국수학학력평가
KMA (Korean Mathematics Ability Evaluation)

KB198174

KMA 특징

현직 교수, 박사급 출제위원!

1:1 KMA 평가 전문 상담!

교과 기본/응용/심화 + 창의 사고력 도전 평가 빅데이터 결과분석

KMA 한국수학학력평가는 개개인의 현재 수학실력에 대한 면밀한 정보를 제공하고자 인공지능(AI)을 통한 빅데이터 평가 자료를 기반으로 문항별, 단원별 분석과 교과 역량 지표를 분석합니다. 또한 이를 바탕으로 전체 응시자 평균점과 상위 30 %, 10 % 컷 점수를 알고 본인의 상대적 위치를 확인할 수 있습니다.

KMA 한국수학학력평가는 단순 점수와 등급 확인을 위한 평가가 아니라 미래사회가 요구하는 수학 교과 역량 평가지표 5가지 영역을 평가함으로써 수학실력 향상의 새로운 기준을 만들었습니다.

KMA 한국수학학력평가는 평가 후 희망 학부모에 한하여 진단 상담 신청서와 상담 예약서를 작성하여 자녀의 수학학습에 관한 1 : 1 상담을 받을 수 있습니다.

2 KMA/KMAO 평가 일정 안내

구분	일정	내용
한국수학학력평가(상반기 예선)	매년 6월	상위 10% 성적 우수자에 본선 진출권 자동 부여
한국수학학력평가(하반기 예선)	매년 11월	
왕수학 전국수학경시대회(본선)	매년 1월	상반기 또는 하반기 KMA 한국수학학력평가에서 상위 10% 성적 우수자 대상으로 본선 진행

※ 상기 일정은 상황에 따라 변동될 수 있습니다.

3 KMA 시험 개요

참가 대상	초등학교 1학년~중학교 3학년
신청 방법	해당지역 접수처에 직접신청 또는 KMA 홈페이지에 온라인 접수
시험 범위	초등 : 1학기 1단원~5단원(단, 초등 1학년은 4단원까지)
	중등 : KMA홈페이지(www.kma-e.com) 참조

※ 초등 1, 2학년 : 25문항(총점 100점, 60분)　▶ 시험지 內 답안작성
※ 초등 3학년~중등 3학년 : 30문항(총점 120점, 90분)　▶ OMR 카드 답안작성

4 KMA 평가 영역

KMA 한국수학학력평가에서는 아래 5가지 수학교과역량을 평가에 반영하였습니다.

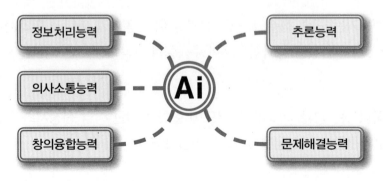

5 KMA 평가 내용

| 교과서 기본 과정
(10문항) | 해당학년 수학 교과과정에서 기본개념과 원리에 기반 한 교과서 기본문제 수준으로 수학적 원리와 개념을 정확히 알고 있는지를 측정하는 문항들로 구성됩니다. |

| 교과서 응용 과정
(10문항) | 해당학년 수학 교과과정의 수학적 원리와 개념을 정확히 알고 기본문제에서 한 단계 발전된 형태의 수준으로 기본과정의 개념과 원리를 다양한 상황에 적용하고 응용 할 수 있는지를 측정하는 문항들로 구성됩니다. |

| 교과서 심화 과정
(5문항) | 해당학년의 수학 교과과정의 내용을 정확히 알고, 이를 다양한 상황에 적용하고 응용 하는 능력뿐만 아니라, 문제에서 구하는 내용과 주어진 조건과의 상호 관련성을 파악 하여 문제를 해결할 수 있는지를 측정하는 문항들로 구성됩니다. |

| 창의 사고력 도전 문제
(5문항) | 학습한 수학내용을 자유자재로 문제상황에 적용하며, 창의적으로 문제를 해결할 수 있는 수준으로 이 수준의 문항은 학생들이 기존의 풀이방법에서 벗어나 창의성을 요구하는 비정형 문항으로 구성됩니다. |

※ 창의 사고력 도전 문제는 초등 3학년~중등 3학년만 적용됩니다.

6 KMA 평가 시상

	시상명	대상자	시상내역
개인	금상	90점 이상	상장, 메달
	은상	80점 이상	상장, 메달
	동상	70점 이상	상장, 메달
	장려상	50점 이상	상장
학원	최우수학원상	수상자 다수 배출 상위 10개 학원	상장, 상패, 현판
	우수학원상	수상자 다수 배출 상위 30개 학원	상장, 족자(배너)
	우수지도교사상	상위 10% 성적 우수학생의 지도교사	상장

※ 상위 10% 이내 성적 우수자에 본선(KMAO 왕수학 전국수학경시대회) 진출권 부여

7 KMA OMR 카드 작성시 유의사항

1. 모든 항목은 컴퓨터용 사인펜만 사용하여 보기와 같이 표기하시오.
   보기) ① ● ③
   ※ 잘못된 표기 예시 : ⊘ ⊗ ⊙ ∅
2. 수정시에는 수정테이프를 이용하여 깨끗하게 수정합니다.
3. 수험번호란과 생년월일란에는 감독 선생님의 지시에 따라 아라비아 숫자로 쓰고 해당란에
3. 표기하시오.
4. 답란에는 아라비아 숫자를 쓰고, 해당란에 표기하시오.
   ※ OMR카드를 잘못 작성하여 발생한 성적 결과는 책임지지 않습니다.

OMR 카드 답안작성 예시 1 한 자릿수	예1) 답이 1 또는 선다형 답이 ①인 경우

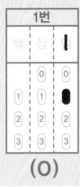 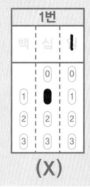 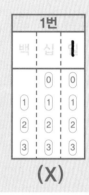

(O)　　　　(X)　　　　(X)

OMR 카드 답안작성 예시 2 두 자릿수	예2) 답이 12인 경우

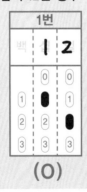 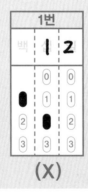 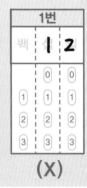

(O)　　　　(X)　　　　(X)

OMR 카드 답안작성 예시 3 세 자릿수	예3) 답이 230인 경우

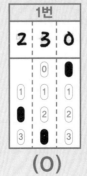 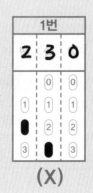 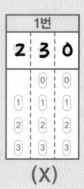

(O)　　　　(X)　　　　(X)

8 KMA 접수 안내 및 유의사항

(1) 가까운 지정 접수처 또는 KMA 홈페이지(www.kma-e.com)에서 접수합니다.

(2) 지정 접수처 접수 시, 응시원서를 작성하여 응시료와 함께 접수합니다.
(KMA 홈페이지에서 응시원서를 다운로드 받아 사용 가능)

(3) 응시원서는 모든 사항을 빠짐없이 정확하게 작성합니다.
시험장소는 접수 마감 후 추후 KMA 홈페이지에 공지할 예정입니다.

(4) 초등학교 3학년 응시생부터는 OMR 카드를 사용하여 답안을 작성하기 때문에 KMA 홈페이지에서
OMR 카드를 다운로드하여 충분히 연습하시기 바랍니다.
(OMR 카드를 잘못 작성하여 발생한 성적에 대해서는 책임지지 않습니다.)

(5) 부정행위 또는 타인의 시험을 방해하는 행위 적발 시, 즉각 퇴실 조치하고 당해 시험은 0점 처리
되오니, 이점 유의하시기 바랍니다.

9 KMAO 왕수학 전국수학경시대회(본선)

KMA 한국수학학력평가 성적 우수자(상위 10%) 등을 대상으로 왕수학 전국수학경시대회를 통해 우수한 수학 영재를 조기에 발굴 교육함으로, 수학적 문제해결력과 창의 융합적 사고력을 키워 미래의 우수한 글로벌 리더를 키우고자 본 경시대회를 개최합니다.

참가 대상 및 응시료	KMA 한국수학학력평가 상반기 또는 하반기에서 성적 우수자 상위 10% 해당자로 본선 진출 자격을 받은 학생 또는 일반 참가 학생 ＊본선 진출 자격을 받은 학생들은 응시료를 할인 받을 수 있는 혜택이 있습니다.
대상 학년	초등 : 초3 ～ 초6(상급학년 지원 가능) ※초1~2학년은 본선 시험이 없으므로 초3학년에 응시 자격 부여함. 중등 : 중등 통합 공통과정(학년구분 없음)
출제 문항 및 시험 시간	주관식 단답형(23문항), 서술형(2문항) 시험 시간 : 90분 ＊풀이 과정에 따른 부분 점수가 있을 수 있습니다.
시험 난이도	왕수학(실력), 점프왕수학, 응용왕수학, 올림피아드왕수학 수준

＊시상 및 평가 일정 등 자세한 내용은 KMA 홈페이지(www.kma-e.com)에서 확인 하실 수 있습니다.

10 교재의 구성과 특징

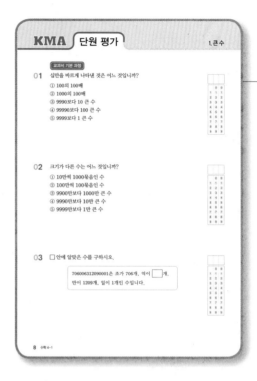

단원평가

KMA 시험을 대비할 수 있는 문제 유형들을 단원별로 정리하여 수록하였습니다.

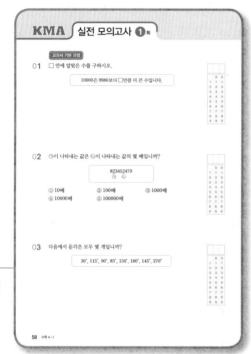

실전 모의고사

출제율이 높은 문제를 수록하여 KMA 시험을 완벽하게 대비할 수 있도록 합니다.

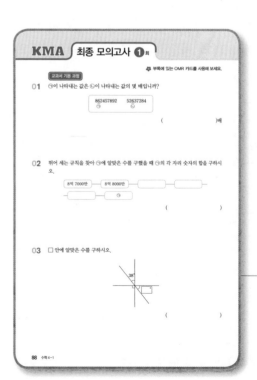

최종 모의고사

KMA 출제 위원과 검토 위원들이 문제 난이도와 타당성 등을 모두 고려한 최종 모의고사를 통하여 KMA 시험을 최종적으로 대비할 수 있도록 하였습니다.

Contents

교과서 기본 과정

01 십만을 바르게 나타낸 것은 어느 것입니까?

① 100의 100배

② 1000의 100배

③ 9990보다 10 큰 수

④ 99990보다 100 큰 수

⑤ 9999보다 1 큰 수

02 크기가 다른 수는 어느 것입니까?

① 10만씩 1000묶음인 수

② 100만씩 100묶음인 수

③ 9900만보다 1000만 큰 수

④ 9990만보다 10만 큰 수

⑤ 9999만보다 1만 큰 수

03 ☐ 안에 알맞은 수를 구하시오.

706006312090001은 조가 706개, 억이 ☐개, 만이 1209개, 일이 1개인 수입니다.

04 □ 안에 0부터 9까지의 어느 숫자를 넣을 수 있습니다. 세 수의 크기를 비교할 때 가장 큰 수는 어느 것입니까?

① 77□43□92
② 7□934□2
③ 77951□02

05 ㉠의 8이 나타내는 수는 ㉡의 8이 나타내는 수의 몇 배입니까?

㉠ 98620914   ㉡ 74482605

06 0부터 9까지의 숫자 중 □ 안에 들어갈 수 있는 숫자는 모두 몇 개입니까?

94308123 > 94□07912

07 7, 8, 0, 2, 5, 4의 숫자를 한 번씩 사용하여 만든 여섯 자리 수 중에서 가장 큰 수와 두 번째 큰 수의 차를 구하시오.

08 다음을 수로 나타낼 때 숫자 0은 모두 몇 개가 사용됩니까?

구백억 팔천칠십만 육백오

09 다음은 수를 일정한 규칙에 따라 뛰어세기 한 것입니다. ㉠에 알맞은 수를 구하시오.

㉠ — 사만 오천 — 사백오십만 — 사억 오천만

10 0부터 9까지의 숫자 중 □ 안에 들어갈 수 있는 숫자는 몇 개입니까?

$$5800000\boxed{}583978 > 58\text{조 }680\text{만}$$

	⓪	⓪
①	①	①
②	②	②
③	③	③
④	④	④
⑤	⑤	⑤
⑥	⑥	⑥
⑦	⑦	⑦
⑧	⑧	⑧
⑨	⑨	⑨

교과서 응용 과정

11 만 원짜리 100장의 두께는 5 mm입니다. 1000억 원을 만 원짜리로 쌓는다면 두께는 몇 m가 되겠습니까?

	⓪	⓪
①	①	①
②	②	②
③	③	③
④	④	④
⑤	⑤	⑤
⑥	⑥	⑥
⑦	⑦	⑦
⑧	⑧	⑧
⑨	⑨	⑨

12 □ 안에 알맞은 수를 구하시오.

10억이   24개
1억이   10개
1000만이   □개 ─ 인 수는 25210550046
1만이   52개
100이   300개
1이   46개

	⓪	⓪
①	①	①
②	②	②
③	③	③
④	④	④
⑤	⑤	⑤
⑥	⑥	⑥
⑦	⑦	⑦
⑧	⑧	⑧
⑨	⑨	⑨

13 다음 수에서 백조의 자리 숫자를 ㉠, 백억의 자리 숫자를 ㉡, 백만의 자리 숫자를 ㉢이라고 할 때, ㉠+㉡+㉢의 값을 구하시오.

> 4805700136920000

14 석기가 4년 동안 저축한 돈은 현재 1327800원입니다. 석기의 20년 후 목표 저축액은 지금 저축액의 100배입니다. 20년 후 목표 저축액의 천만의 자리 숫자는 무엇입니까?

15 다음과 같이 0부터 9까지의 숫자 카드가 한 장씩 있습니다. 이 10장의 카드를 모두 한 번씩 사용하여 천만의 자리 숫자가 7인 네 번째로 작은 수를 만들었을 때, 일의 자리 숫자는 무엇입니까?

0 1 2 3 4 5 6 7 8 9

16 국가 예산은 나라의 살림에 필요한 돈입니다. 우리나라의 2019년 국가 예산은 약 476조 원이었고, 2020년 국가 예산은 약 512조 원이었습니다. 2019년부터 2025년까지 해마다 같은 금액으로 예산이 늘어난다면, 2025년의 우리나라 국가 예산은 약 ㉠ 조 원이 될 것입니다. 이때 ㉠에 알맞은 수를 구하시오.

17 주어진 8장의 숫자 카드를 모두 한 번씩만 사용하여 여덟 자리 수를 만들었을 때, 다음 중 틀린 설명은 어느 것입니까?

① 가장 작은 수를 만들면 10345679입니다.
② 가장 큰 수를 만들면 97654310입니다.
③ 두 번째로 작은 수를 만들었을 때, 숫자 4가 나타내는 수는 40000입니다.
④ 세 번째로 큰 수를 만들면 97654130입니다.
⑤ 세 번째로 작은 수를 만들면 10345967입니다.

18 지영이 어머니께서 은행에 예금한 돈 9040000원을 다음과 같이 찾고자 합니다. 10만 원짜리 수표는 몇 장 받아야 합니까?

> 100만 원짜리 수표 6장, 10만 원짜리 수표 □장,
> 만 원짜리 지폐 32장, 천원짜리 지폐 120장

19 0부터 9까지의 숫자 카드가 한 장씩 있습니다. 이 카드 중에서 7장을 골라서 만들 수 있는 수 중 두 번째로 작은 수를 만든 다음, 사용되지 않은 숫자 카드로 만든 가장 큰 세 자리 수를 구하시오.

20 수직선에서 ㉠에 알맞은 수를 ■억이라고 할 때 ■ 안에 알맞은 수를 구하시오.

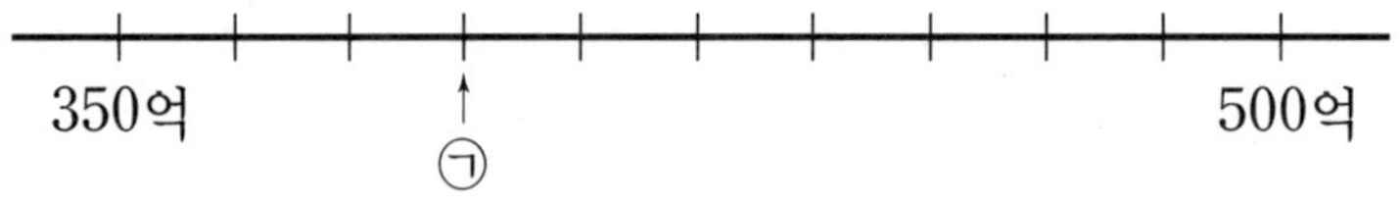

350억 — | — | — ↑ — | — | — | — | — | — 500억
㉠

┌ 교과서 심화 과정 ┐

21 주어진 숫자 카드를 한 번씩만 사용하여 세 번째로 큰 여섯 자리 수와 가장 작은 여섯 자리 수를 만들었을 때, ㉠과 ㉡에 알맞은 숫자의 합을 구하시오.

7 5 0 4 9 3

세 번째로 큰 수 : ☐ ☐ ☐ ㉠ ☐ ☐

가장 작은 수 : ☐ ☐ ☐ ㉡ ☐ ☐

22 524만을 100배 한 수에서 2000만씩 크게 5번을 뛰어서 센 수가 있습니다. 이 수의 각 자리의 숫자의 합을 구하시오.

23 0부터 9까지의 숫자 중에서 □ 안에는 같은 숫자가 들어갑니다. □ 안에 공통으로 들어갈 수 있는 숫자는 모두 몇 개입니까?

> 94□732104 ⟩ 944□52307

24 조건 을 모두 만족하는 수 중에서 가장 큰 수의 십만의 자리 숫자와 십의 자리 숫자의 곱은 얼마입니까?

> 조건
> ㉠ 3부터 9까지의 숫자를 한 번씩 사용하여 만든 7자리 수입니다.
> ㉡ 백만의 자리 숫자는 백의 자리 숫자의 3배입니다.
> ㉢ 천의 자리 숫자는 7입니다.

25 0부터 9까지의 숫자를 한 번씩 모두 사용하여 만의 자리의 숫자가 3이고, 억의 자리의 숫자가 1인 가장 작은 수를 만들었습니다. 만든 수를 100배 하면, 억의 자리의 숫자는 무엇입니까?

창의 사고력 도전 문제

26 화성에서 토성까지의 거리는 약 12억 km입니다. 이 사이에 5천만 km 간격으로 우주정거장을 만든다면, 우주정거장은 몇 개입니까?

27 10장의 숫자 카드 중 9장을 뽑아 한 번씩 사용하여 아홉 자리 수를 만들었습니다. 백만의 자리 숫자가 9인 수 중 가장 작은 수에서 숫자 4가 나타내는 수를 ㉮라고 할 때 ㉮÷100의 값은 얼마입니까?

| 0 | 1 | 2 | 3 | 4 | 5 | 6 | 7 | 8 | 9 |

28 0 , 8 그리고 어떤 숫자가 적힌 카드 ? 가 있습니다. 이 세 장의 서로 다른 숫자 카드를 3번까지 사용하여 여덟 자리의 수를 만들 때, 가장 큰 수와 가장 작은 수의 차가 28859912라면 ? 에 적힌 숫자는 무엇입니까?

29 여섯 자리 수 8□57□6은 836245보다 크고 865767보다 작다고 할 때, 8□57□6이 될 수 있는 경우는 모두 몇 가지입니까?

30 0부터 9까지 10개의 숫자를 모두 한 번씩 사용하여 10자리의 수를 만들려고 합니다. 십억의 자리에 8, 만의 자리에 0, 백의 자리에 4, 십의 자리에 2의 숫자를 놓은 후 10번째로 작은 수를 만들었을 때 십만의 자리에 놓인 숫자는 무엇입니까?

교과서 기본 과정

01 가장 큰 각은 어느 것입니까?

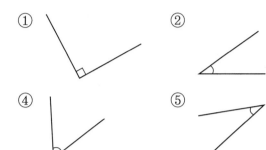

0 0
1 1 1
2 2 2
3 3 3
4 4 4
5 5 5
6 6 6
7 7 7
8 8 8
9 9 9

02 ㉠은 왼쪽 각의 몇 배입니까?

0 0
1 1 1
2 2 2
3 3 3
4 4 4
5 5 5
6 6 6
7 7 7
8 8 8
9 9 9

03 다음 중 각도를 바르게 잰 것은 어느 것입니까?

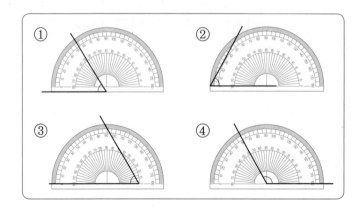

0 0
1 1 1
2 2 2
3 3 3
4 4 4
5 5 5
6 6 6
7 7 7
8 8 8
9 9 9

04 각도기를 이용하여 크기가 125°인 각 ㄱㄴㄷ을 그리려고 합니다. 그리는 순서를 바르게 나타낸 것은 어느 것입니까?

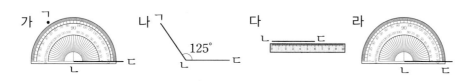

① 라―다―가―나   ② 다―라―가―나

③ 다―가―라―나   ④ 라―가―다―나

⑤ 라―가―나―다

⓪	⓪
①	① ①
②	② ②
③	③ ③
④	④ ④
⑤	⑤ ⑤
⑥	⑥ ⑥
⑦	⑦ ⑦
⑧	⑧ ⑧
⑨	⑨ ⑨

05 다음에서 예각은 모두 몇 개입니까?

$$165°\quad 27°\quad 90°\quad 125°\quad 180°\quad 75°\quad 59°\quad 145°$$

⓪	⓪
①	① ①
②	② ②
③	③ ③
④	④ ④
⑤	⑤ ⑤
⑥	⑥ ⑥
⑦	⑦ ⑦
⑧	⑧ ⑧
⑨	⑨ ⑨

06 가장 큰 각도는 어느 것입니까?

① 1직각+120°   ② 3직각−70°

③ 4직각−80°   ④ 2직각+30°

⑤ 2직각+80°

⓪	⓪
①	① ①
②	② ②
③	③ ③
④	④ ④
⑤	⑤ ⑤
⑥	⑥ ⑥
⑦	⑦ ⑦
⑧	⑧ ⑧
⑨	⑨ ⑨

07 시계의 긴바늘과 짧은바늘이 이루는 작은 쪽의 각이 둔각인 것은 어느 것입니까?

① 2시   ② 2시 30분   ③ 3시

④ 10시   ⑤ 10시 45분

08 오른쪽 도형에서 예각과 둔각의 개수의 차는 몇 개입니까?

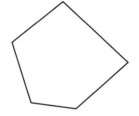

09 각 ㄱㅇㄷ의 크기를 구하시오.

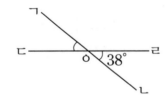

10 □ 안에 알맞은 수를 구하시오.

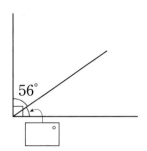

	⓪	⓪		
①	①	①		
②	②	②		
③	③	③		
④	④	④		
⑤	⑤	⑤		
⑥	⑥	⑥		
⑦	⑦	⑦		
⑧	⑧	⑧		
⑨	⑨	⑨		

교과서 응용 과정

11 각 ㄱㅇㄴ의 크기를 구하시오.

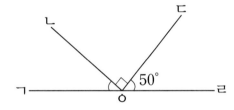

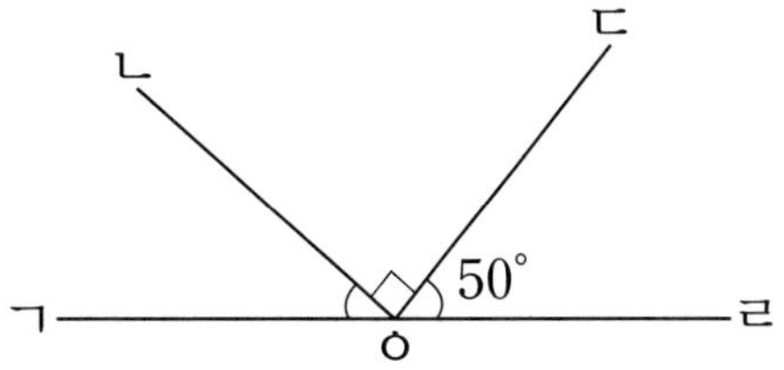

12 □ 안에 알맞은 수를 구하시오.

13 오른쪽 도형에서 ㉠과 ㉡의 합은 몇 도입니까?

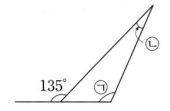

14 각 ㄱㄹㄷ의 크기는 몇 도입니까?

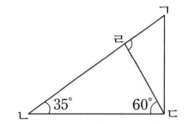

15 □ 안에 알맞은 수를 구하시오.

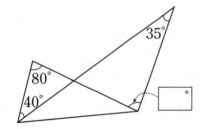

16 □ 안에 알맞은 수를 구하시오.

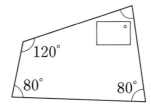

17 도형에서 ㉠과 ㉡의 합은 몇 도입니까?

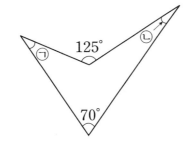

18 도형에서 각 ㄱㄹㅁ의 크기는 몇 도입니까?

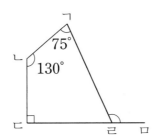

19 오른쪽 그림은 정사각형입니다. 각 ㅁㄴㄹ의 크기를 구하시오.

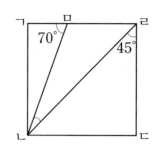

⓪ ⓪	
① ① ①	
② ② ②	
③ ③ ③	
④ ④ ④	
⑤ ⑤ ⑤	
⑥ ⑥ ⑥	
⑦ ⑦ ⑦	
⑧ ⑧ ⑧	
⑨ ⑨ ⑨	

20 ☐ 안에 알맞은 수를 구하시오.

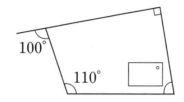

교과서 심화 과정

21 시계의 긴바늘과 짧은바늘이 이루는 작은 쪽의 각이 둔각인 것은 몇 개입니까?

> ㉠ 5시 10분   ㉡ 3시 15분   ㉢ 6시 20분
> ㉣ 8시 25분   ㉤ 9시 35분   ㉥ 10시 40분

22 ㉮의 각도는 몇 도입니까?

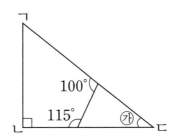

23 ㉮와 ㉯의 각도의 차는 몇 도입니까?

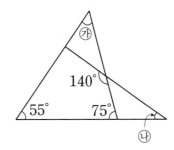

24 도형에서 각 ㄴㄷㄹ과 각 ㄱㄹㄷ의 크기가 같고, 각 ㅁㄹㅂ과 각 ㅁㅂㄹ의 크기가 같을 때, 각 ㄹㄱㅅ의 크기는 몇 도입니까?

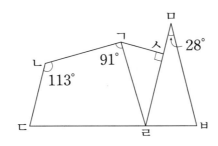

25 □ 안에 알맞은 수를 구하시오.

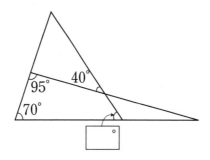

26 도형에서 ㉮의 크기는 몇 도인지 구하시오.

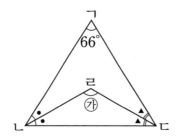

27 도형에서 ㉠, ㉡, ㉢, ㉣의 합은 몇 도입니까?

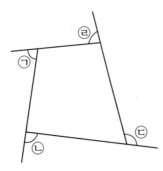

28 그림에서 각 ㄴㄱㄷ의 크기를 구하시오.

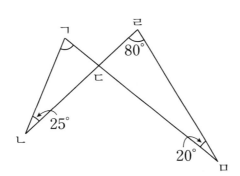

29 오른쪽의 조건을 모두 만족하는 삼각형 ㄱㄴㄷ을 꼭짓점 ㄴ을 중심으로 화살표 방향으로 돌린 것입니다. 삼각형 ㄱㄴㄷ을 몇 도만큼 돌렸는지 구하시오.

- ㉠은 ㉡보다 100° 작습니다.
- ㉡은 ㉢보다 95° 큽니다.

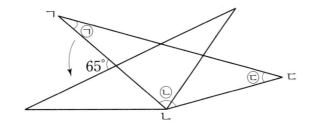

30 오른쪽 그림에서 각 ㉠+각 ㉡+각 ㉢+각 ㉣+각 ㉤+각 ㉥+각 ㉦+각 ㉧은 몇 도입니까?

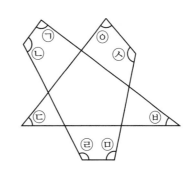

교과서 기본 과정

01 □ 안에 알맞은 수를 구하시오.

$$400 \times \square = 24000$$

02 곱이 가장 큰 것은 어느 것입니까?

① 800×20 ② 700×30 ③ 600×40 ④ 500×50

03 다음에서 곱이 가장 큰 것의 번호를 백의 자리 숫자, 곱이 두 번째로 큰 것의 번호를 십의 자리 숫자, 곱이 세 번째로 큰 것의 번호를 일의 자리 숫자로 하여 세 자리 수를 만들면 얼마가 됩니까?

① 326×72 ② 425×54 ③ 607×43 ④ 725×60

04 유승이네 학교에서 276명이 우유 급식을 합니다. 25일 동안 학생들이 마신 우유의 개수를 □개라고 할 때 □÷10의 값은 얼마입니까?

05 다음 나눗셈에서 몫이 가장 작은 나눗셈의 몫은 얼마입니까?

$$240 \div 30 \qquad 420 \div 70 \qquad 450 \div 90$$

06 다음 나눗셈의 나머지가 될 수 있는 자연수 중에서 가장 큰 수는 무엇입니까?

$$\square \div 25 = \triangle \cdots \bigcirc$$

07 사탕이 693개 있습니다. 한 봉지에 사탕을 30개씩 넣어서 판다면 사탕을 몇 봉지까지 팔 수 있습니까?

08 □ 안에 들어갈 수 있는 자연수 중에서 가장 큰 수를 구하시오.

$$23 \times \square < 627$$

09 길이가 6 m 61 cm인 색 테이프를 24 cm씩 잘라 게시판을 꾸미려고 합니다. 게시판을 꾸미고 남은 색 테이프는 최소 몇 cm입니까?

10 귤 737개를 한 상자에 25개씩 나누어 담으려고 합니다. 25개씩 담은 상자 수를 ㉮개, 남은 귤의 수를 ㉯개라고 할 때 ㉮+㉯의 값을 구하시오.

교과서 응용 과정

11 ㉮에 알맞은 숫자는 무엇입니까?

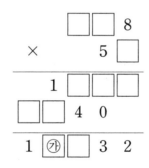

12 1분에 2500 m를 달리는 경주용 자동차가 있습니다. 이 자동차가 같은 빠르기로 1시간 20분 동안 달리면 몇 km를 갈 수 있겠습니까?

13 다음 세 수의 곱에서 0의 개수는 모두 몇 개입니까?

$$㉠ \, 200 \times 30 \quad ㉡ \, 420 \times 50 \quad ㉢ \, 500 \times 60$$

14 다음 숫자 카드를 한 번씩 모두 사용하여 계산 결과가 가장 작은 (세 자리 수)×(두 자리 수)를 만들었습니다. 만든 식의 계산 결과가 ㉠㉡㉢㉣일 때 ㉠+㉡+㉢+㉣의 값을 구하시오.

| 2 | 3 | 4 | 5 | 6 |

15 다음 나눗셈의 나머지가 될 수 있는 수를 모두 찾아 합을 구하면 얼마입니까?

$$\square \div 30 = ☆ \cdots ○$$

16 예지는 카레라이스를 만들기 위해 감자, 양파, 당근을 각각 2 kg씩 사려고 합니다. 감자, 양파, 당근의 100 g당 가격이 다음과 같을 때 예지가 필요한 돈은 얼마인지 알아보았습니다. 빈칸에 알맞은 수를 구하시오.

종류	감자	양파	당근
가격(100 g당)	330원	210원	380원

☐00(원)

17 숫자 카드를 한 번씩 모두 사용하여 몫이 가장 큰 (세 자리 수)÷(두 자리 수)를 만들었을 때 몫은 얼마입니까?

2 3 4 7 8

18 상연이는 1분 동안에 44 m, 예슬이는 1분 동안에 36 m를 걸어 갑니다. 둘레가 4 km인 호수의 둘레를 상연이와 예슬이가 같은 곳에서 출발하여 서로 반대 방향으로 일정한 빠르기로 걸었을 때 두 사람이 만나는 것은 몇 분 후입니까?

19 꿀떡 112개를 노인정에 계신 21분의 어르신들께 똑같이 나누어 드리려고 하였더니 몇 개가 모자랐습니다. 꿀떡이 남지 않게 똑같이 나누어 드리려면 적어도 몇 개의 꿀떡이 더 필요합니까?

20 어느 마트에서는 지역특산 상품으로 곶감을 판매하려고 합니다. 수확한 곶감 840개를 24개들이 17상자에 포장을 하고 남은 곶감은 36개들이 상자에 포장을 하려고 합니다. 36개 들이 상자는 모두 몇 개가 필요합니까?

교과서 심화 과정

21 어떤 수를 12로 나누어야 할 것을 잘못하여 12를 곱하였더니 948이 되었습니다. 바르게 계산했을 때의 몫을 ○, 나머지를 △라 할 때 ○＋△의 값을 구하시오.

22 210쪽짜리 동화책을 가영이와 동민이가 같은 날 읽기 시작하였습니다. 매일 가영이는 35쪽씩 읽었고, 동민이는 28쪽씩 읽었습니다. 가영이가 동화책을 다 읽었을 때, 동민이는 몇 쪽이 남아 있겠습니까?

23 □ 안에 들어갈 수 있는 수 중에서 가장 큰 수는 얼마입니까?

$$\square \div 17 = 36 \cdots \triangle$$

24 달걀 500개를 1개에 70원씩 주고 사 오다가 100개를 깨뜨리고 나머지는 1개에 120원씩 팔았습니다. 달걀을 팔아 생긴 이익금을 25명이 나누어 가졌다면 한 사람이 가지게 되는 이익금은 얼마입니까?

25 세 자리 수를 36으로 나누었더니 몫이 두 자리 수이고 나머지는 10이 되었습니다. ★+●+■의 값을 구하시오.

$$62★÷36=●■ \cdots 10$$

창의 사고력 도전 문제

26 □ 안에 공통으로 들어갈 수 있는 자연수는 모두 몇 개입니까?

$$□×32>706$$
$$17×□<615$$

27 다음 5장의 숫자 카드 중 3장을 뽑아 세 자리 수를 만들려고 합니다. 19로 나누었을 때, 몫이 27이 되고 나머지가 생기는 세 자리 수를 모두 몇 개 만들 수 있습니까?

5 0

28 조건을 모두 만족하는 세 자리 수는 모두 몇 개입니까?

> **조건**
> ㉠ 30으로 나누면 나머지가 18입니다.
> ㉡ 각 자리 숫자의 합은 18입니다.
> ㉢ 백의 자리 숫자는 십의 자리 숫자보다 큽니다.

	0	0
1	1	1
2	2	2
3	3	3
4	4	4
5	5	5
6	6	6
7	7	7
8	8	8
9	9	9

29 세 자리 수 중에서 52로 나누었을 때 몫과 나머지가 같은 수는 모두 몇 개입니까?

	0	0
1	1	1
2	2	2
3	3	3
4	4	4
5	5	5
6	6	6
7	7	7
8	8	8
9	9	9

30 동민이는 동화책을 읽고 있었습니다. 그런데 동화책의 여러 부분이 떨어져 나가고 없었습니다. 4장이 떨어져 나간 부분을 펼친 뒤 두 면에 나타난 쪽수끼리 곱해보니 4672가 되었습니다. 펼쳐진 두 쪽수의 합은 얼마입니까?

	0	0
1	1	1
2	2	2
3	3	3
4	4	4
5	5	5
6	6	6
7	7	7
8	8	8
9	9	9

정교과서 기본 과정

01 도형을 오른쪽 그림과 같이 여러 방향으로 움직였을 때 모양과 크기는 변하지 않았습니다. 도형을 어떻게 이동한 것입니까?

① 밀기　　　　② 뒤집기
③ 돌리기　　　④ 뒤집고 돌리기
⑤ 밀고 뒤집기

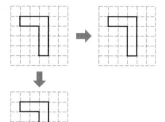

02 왼쪽 도형을 돌리기 하여 오른쪽 모양과 같이 되었습니다. 어느 방향으로 돌리기 한 것입니까?

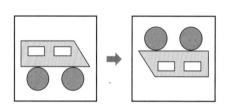

① 　　② 　　③ 　　④

03 다음 중 위쪽으로 뒤집기를 한 모양과 왼쪽으로 뒤집기를 한 모양이 같은 도형은 어느 것입니까?

① 　　② 　　③ 　　④

04 어느 방향으로 뒤집어도 그 모양이 변하지 않는 것은 어느 것입니까?

① 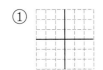   ② 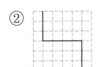   ③ 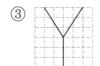   ④

05 모양을 만들기 위해 모양을 어떻게 돌리기 한 것인지 알아 보려고 합니다. 부분에 공통으로 들어갈 것은 어느 것입니까?

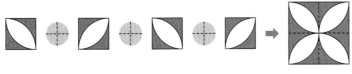

①   ②   ③   ④   ⑤

06 오른쪽 모양은 왼쪽 도형을 어느 방향으로 돌렸을 때 생기는 모양입니까?

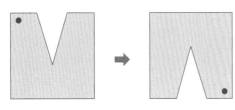

①   ②   ③   ④   ⑤

07 오른쪽으로 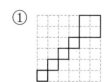만큼 돌렸을 때 모양이 바뀌지 <u>않는</u> 도형은 어느 것입니까?

① 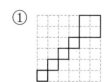 ② 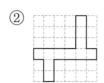 ③ 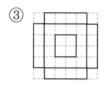 ④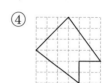

08 어떤 도형을 오른쪽으로 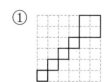만큼 연속 몇 번 돌리기 하면 처음과 같은 모양이 나옵니까?

① 3번 ② 4번 ③ 5번

④ 6번 ⑤ 7번

09 왼쪽 도형을 돌리기 하여 오른쪽 모양과 같이 만들었습니다. 어느 방향으로 돌리기를 한 것입니까?

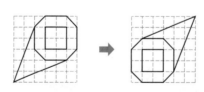

① ② ③ ④ ⑤

10 오른쪽 도형을 왼쪽으로 만큼 돌리기 하였을 때 생기는 도형은 어느 것입니까?

① 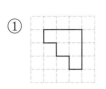 ② ③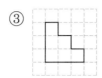

④ ⑤

교과서 응용 과정

11 오른쪽은 가운데 도형을 여러 방향으로 뒤집었을 때 생기는 모양을 그린 것입니다. 바르게 그린 것은 어느 것입니까?

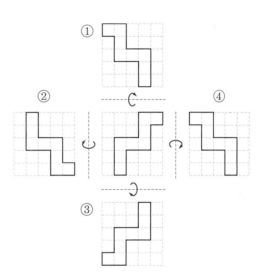

12 주어진 도형을 오른쪽으로 연속 5번 뒤집기 하였을 때 생기는 모양은 어느 것입니까?

① 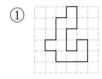 ② ③

④ ⑤

13 오른쪽 모양은 왼쪽 도형을 어떻게 움직인 것입니까?

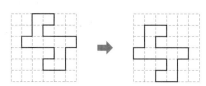

① 왼쪽으로 뒤집기   ② 아래쪽으로 뒤집기

③ 방향으로 돌리기   ④ 방향으로 돌리기

⑤ 방향으로 돌리기

14 오른쪽 도형을 위쪽으로 민 다음, 다시 왼쪽으로 뒤집었을 때 생기는 모양은 어느 것입니까?

① 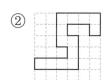   ② 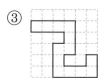   ③

④   ⑤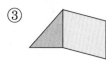

15 오른쪽의 모양 조각을 아래로 뒤집은 뒤 시계 방향으로 90° 만큼 돌렸을 때의 모양은 어느 것입니까?

①   ②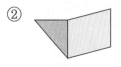

③ 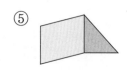   ④   ⑤

16 오른쪽 모양은 왼쪽 도형을 오른쪽으로 25번 뒤집은 후 오른쪽으로

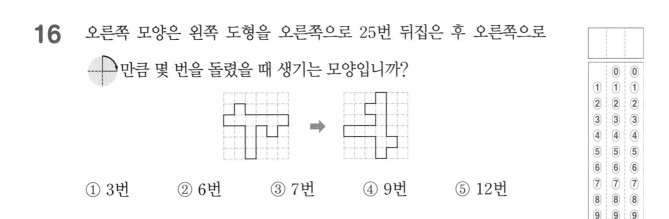

만큼 몇 번을 돌렸을 때 생기는 모양입니까?

① 3번   ② 6번   ③ 7번   ④ 9번   ⑤ 12번

⓪	⓪
①	①
②	②
③	③
④	④
⑤	⑤
⑥	⑥
⑦	⑦
⑧	⑧
⑨	⑨

도형을 보고 물음에 답하시오. [17 ~ 18]

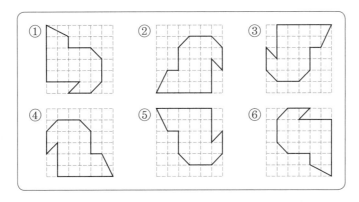

17 ①번 도형을 위쪽으로 뒤집고 오른쪽으로 ⬚만큼 돌렸을 때 생기는
모양과 같은 것을 찾아 번호를 쓰시오.

⓪	⓪	⓪
①	①	①
②	②	②
③	③	③
④	④	④
⑤	⑤	⑤
⑥	⑥	⑥
⑦	⑦	⑦
⑧	⑧	⑧
⑨	⑨	⑨

18 ②번 도형을 오른쪽으로 3번, 왼쪽으로 5번, 위쪽으로 3번 뒤집은 다음

왼쪽으로 ⬚만큼 돌렸을 때 생기는 모양과 같은 것을 찾아 번호를
쓰시오.

⓪	⓪	⓪
①	①	①
②	②	②
③	③	③
④	④	④
⑤	⑤	⑤
⑥	⑥	⑥
⑦	⑦	⑦
⑧	⑧	⑧
⑨	⑨	⑨

19 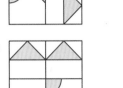 모양을 가지고 만들 수 <u>없는</u> 무늬는 어느 것입니까?

①

②

③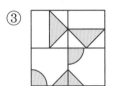

④

⑤

20 다음 무늬는 왼쪽 모양을 어떻게 움직여서 만든 것입니까?

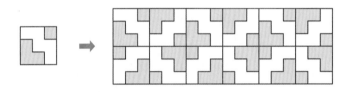

① 밀기만 하여 이어 붙였습니다.
② 위, 아래로 뒤집어 가며 이어 붙였습니다.
③ 왼쪽으로 한 바퀴씩 돌려 가며 이어 붙였습니다.
④ 오른쪽으로 90°씩 돌려 가며 이어 붙였습니다.
⑤ 오른쪽으로 뒤집어 가며 이어 붙였습니다.

[교과서 심화 과정]

21 오른쪽 도형을 방향으로 돌렸을 때 생긴 모양은

어느 것입니까?

①

②

③

④

⑤

22 도형을 일정한 규칙에 따라 움직였습니다. 130번째까지 움직였을 때 3번째 모양은 모두 몇 개 나오게 되는지 구하시오.

1번째   2번째   3번째   4번째   5번째

23 오른쪽 도형을 뒤집거나 돌렸을 때 생기는 모양이 처음 도형과 같은 모양이 되는 것은 어느 것입니까?

① 왼쪽으로 뒤집기 ➡ 오른쪽으로 ⊕만큼 돌리기

➡ 아래쪽으로 뒤집기

② 왼쪽으로 ⊕만큼 돌리기 ➡ 위쪽으로 뒤집기

➡ 오른쪽으로 ⊕만큼 돌리기

③ 아래쪽으로 뒤집기 ➡ 위쪽으로 뒤집기

➡ 오른쪽으로 ⊕만큼 돌리기

④ 아래쪽으로 뒤집기 ➡ 위쪽으로 뒤집기

➡ 오른쪽으로 ⊕만큼 돌리기

24 오른쪽 모양은 왼쪽 도형을 위쪽으로 연속 2번 뒤집은 후 오른쪽으로 몇 번을 뒤집었을 때 생기는 도형입니까?

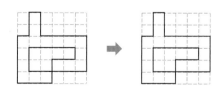

① 1번   ② 3번   ③ 9번   ④ 12번   ⑤ 15번

25 오른쪽 도형을 뒤집거나 돌렸을 때 생기는 모양이 처음 도형과 같아지는 것을 모두 골라 번호의 합을 구하시오.

① 오른쪽으로 뒤집기 ➡ 오른쪽으로 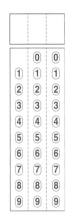 만큼 돌리기

➡ 위쪽으로 뒤집기

② 왼쪽으로 (그림) 만큼 돌리기 ➡ 아래쪽으로 뒤집기

➡ 오른쪽으로 (그림) 만큼 돌리기

③ 왼쪽으로 뒤집기 ➡ 오른쪽으로 뒤집기

➡ 오른쪽으로 (그림) 만큼 돌리기

④ 위쪽으로 뒤집기 ➡ 아래쪽으로 뒤집기 ➡ 오른쪽으로 (그림) 만큼 돌리기

[창의 사고력 도전 문제]

26 오른쪽 모양은 왼쪽 도형을 왼쪽으로 (그림) 만큼 돌리고 오른쪽으로 (그림)

만큼 돌린 후 위쪽으로 연속 □번 뒤집기를 했을 때 생기는 모양입니다. □ 안에 들어갈 수 있는 수 중 10보다 작은 수를 모두 찾아 합을 구하면 얼마입니까?

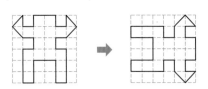

27 다음과 같이 디지털 숫자가 쓰여 있는 카드를 한 번씩만 사용하여 가장 큰 세 자리 수를 만들었습니다. 만든 수를 오른쪽으로 뒤집기 한 수를 ㉠, 아래쪽으로 뒤집기 한 수를 ㉡, 시계 방향으로 180°만큼 돌린 수를 ㉢이라 할 때, ㉠＋㉡－㉢을 구하시오.

28 주어진 도형을 돌리기( ) 하여 가운데에 그리고, 가운데 도형을 다시 오른쪽으로 뒤집기 하여 오른쪽에 그렸습니다. 오른쪽에 그려진 도형을 바르게 나타낸 것은 어느 것입니까?

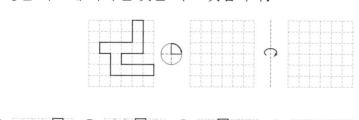

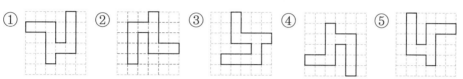

29 시각장애인 친구를 위해 점자를 배운 후 '친구사이'를 점자로 써 보았습니다. 그런데 바람이 불어와 점자를 쓴 종이가 오른쪽과 같이 바뀌었습니다. 바뀐 종이를 아래쪽으로 5번 뒤집고 시계 방향으로 90°만큼 5번 돌렸더니 원래의 모양으로 돌아왔습니다. '친구사이'를 점자로 바르게 썼을 경우 '구'자를 점자로 나타내기 위해 점을 표시한 칸의 수를 모두 더하면 얼마인지 구하시오.

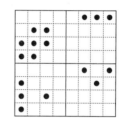

1	2	3	4	5	6	7	8
9	10	11	12	13	14	15	16
17	18	19	20	21	22	23	24
25	26	27	28	29	30	31	32
33	34	35	36	37	38	39	40
41	42	43	44	45	46	47	48
49	50	51	52	53	54	55	56
57	58	59	60	61	62	63	64

친구
사이

30 다음과 같이 2개의 세 자리 수를 투명 종이에 쓴 후 여러 방향으로 돌리거나 뒤집어서 여러 가지 수를 만들려고 합니다. 이때, 만들어진 세 자리 수 중 가장 큰 수와 가장 작은 수의 차는 얼마입니까?

교과서 기본 과정

01 오른쪽 막대그래프에서 세로 눈금 한 칸의 크기는 몇 명을 나타냅니까?

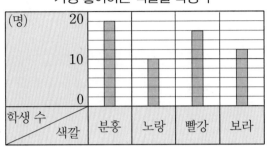

가장 좋아하는 색깔별 학생 수

02 학생들이 생일에 받고 싶어 하는 선물을 조사하여 나타낸 막대그래프입니다. 휴대전화를 받고 싶어 하는 학생은 몇 명입니까?

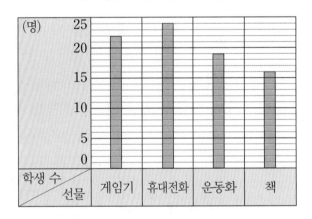

받고 싶어 하는 선물별 학생 수

03 학생들이 가장 좋아하는 김치를 조사하여 나타낸 막대그래프입니다. 배추김치를 좋아하는 학생은 열무김치를 좋아하는 학생보다 몇 명 더 많습니까?

가장 좋아하는 김치별 학생 수

04 영수네 반 학생들의 혈액형을 조사하여 나타낸 표입니다. 혈액형이 B 형인 학생은 몇 명입니까?

혈액형별 학생 수

혈액형	A형	B형	O형	AB형	합계
학생 수(명)	7		6	5	24

05 학생들이 참여하는 방과후 교실을 조사하여 나타낸 막대그래프입니다. 방과후 교실에 참여하는 학생은 모두 몇 명입니까?

방과 후 교실별 참여하는 학생 수

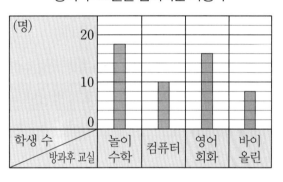

06 마을별 승용차 수를 조사하여 나타낸 막대그래프입니다. 승용차 수가 가장 많은 마을과 가장 적은 마을의 승용차 수의 차는 몇 대입니까?

마을별 승용차 수

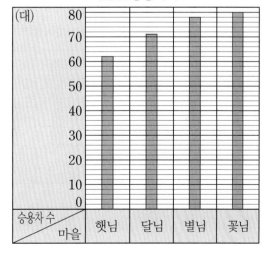

07 가장 좋아하는 간식별 학생 수를 조사하여 나타낸 막대그래프입니다. 바르게 설명한 것은 어느 것입니까?

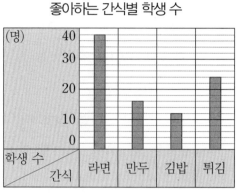

좋아하는 간식별 학생 수

① 가로는 학생 수를 나타냅니다.

② 세로 눈금 한 칸은 학생 5명을 나타냅니다.

③ 가장 많은 학생이 좋아하는 간식은 튀김입니다.

④ 만두를 좋아하는 학생은 8명입니다.

⑤ 튀김을 좋아하는 학생 수는 김밥을 좋아하는 학생 수의 2배입니다.

08 웅이네 반 학생들이 가장 좋아하는 과일을 조사하여 나타낸 표입니다. 바나나를 좋아하는 학생이 포도를 좋아하는 학생보다 3명 더 많다면 바나나를 좋아하는 학생은 몇 명입니까?

좋아하는 과일별 학생 수

과일	귤	포도	바나나	딸기	합계
학생 수(명)	10			9	30

09 예슬이네 반 학생들이 각자 배우고 싶어 하는 운동을 조사하여 나타낸 막대그래프입니다. 함께 운동을 배운다면 어떤 운동으로 결정하는 것이 좋겠습니까?

배우고 싶어 하는 운동별 학생 수

① 수영   ② 태권도   ③ 축구   ④ 야구

10 어느 지역의 병원 수를 진료 과목별로 조사하여 나타낸 막대그래프입니다. ㉠과 ㉡에 알맞은 수의 합을 구하시오.

진료 과목별 병원 수

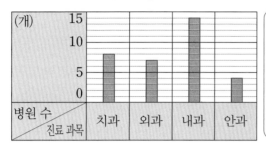

- 치과 병원은 ㉠ 개입니다.
- 진료과목이 가장 많은 병원과 가장 적은 병원의 개수의 차는 ㉡ 개입니다.

교과서 응용 과정

11 올림픽 경기 종목 중 유승이네 반 학생들이 가장 좋아하는 경기 종목을 조사하여 나타낸 표입니다. 표를 보고 막대그래프로 나타낼 때 세로 눈금은 몇 명까지 나타낼 수 있어야 합니까?

좋아하는 경기 종목별 학생 수

경기 종목	레슬링	유도	양궁	태권도	합계
학생 수(명)	3	5	7		25

12 세미네 반 학생 23명이 좋아하는 반려견 이름을 조사하여 나타낸 막대그래프입니다. '콩이'라는 이름을 좋아하는 학생은 '초코'라는 이름을 좋아하는 학생보다 1명이 더 적습니다. 가장 많은 학생들이 좋아하는 반려견 이름과 가장 적은 학생들이 좋아하는 반려견 이름의 학생 수의 차는 몇 명입니까?

좋아하는 반려견의 이름별 학생 수

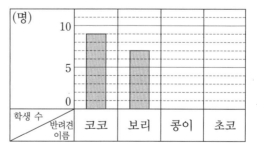

13 효근이와 친구들이 집에서 학교까지 등교하는 데 걸리는 시간을 조사하여 나타낸 막대그래프입니다. 석기와 동민이가 같은 시각에 집에서 출발했다면, 석기가 몇 분 더 먼저 학교에 도착하겠습니까?

등교하는 데 걸리는 시간

이름＼시간	10	20	30	40	50 (분)
효근					
석기					
동민					

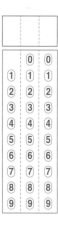

14 규형이네 가족의 몸무게를 조사하여 나타낸 막대그래프입니다. 규형이와 형의 몸무게를 합한 무게와 아버지의 몸무게의 차는 몇 kg입니까?

규형이네 가족의 몸무게

가족＼몸무게	0	10	20	30	40	50	60	70 (kg)
아버지								
어머니								
형								
규형								

15 용희네 학교 4학년 학생들의 지난 한 달 동안 지각한 학생 수를 반별로 조사하여 나타낸 막대그래프입니다. 지각한 학생은 모두 몇 명입니까?

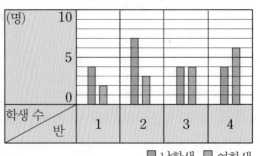

반별 지각한 학생 수

■ 남학생 ■ 여학생

16 놀이공원에 있는 놀이 기구 한 대에 탈 수 있는 사람 수를 조사하여 나타낸 막대그래프입니다. 효근이네 마을 학생 45명이 동시에 아틀란티스를 타려면, 아틀란티스는 적어도 몇 대이어야 합니까?

놀이 기구별 한 대에 탈 수 있는 사람 수

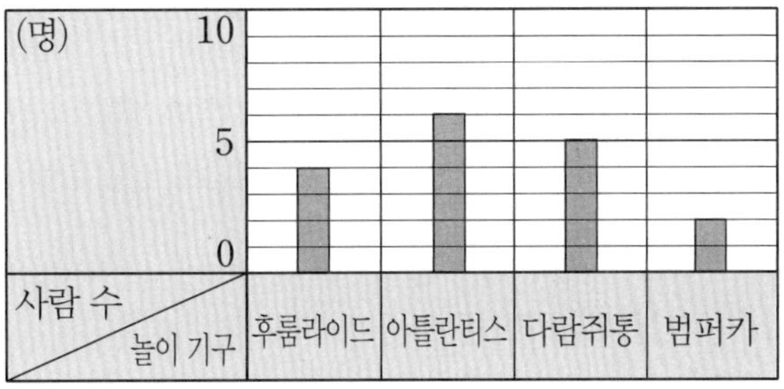

17 영수네 마을 학생 33명이 가장 좋아하는 동물을 조사하여 나타낸 막대그래프입니다. 고양이를 좋아하는 학생 수가 뱀을 좋아하는 학생 수의 3배입니다. 고양이를 좋아하는 학생은 몇 명입니까?

좋아하는 동물별 학생 수

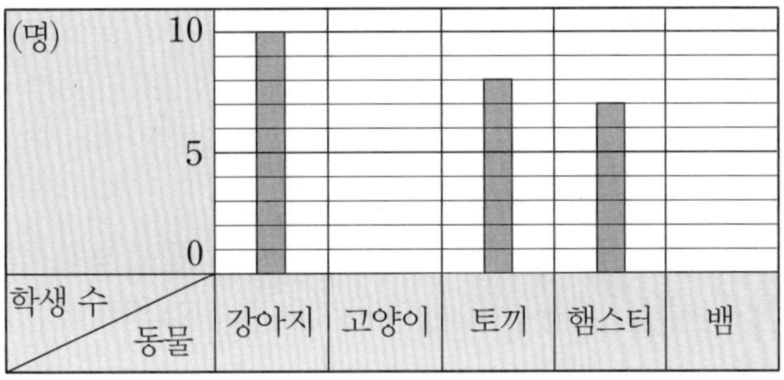

18 가영이네 모둠 학생들이 가장 좋아하는 과목을 조사하여 나타낸 표입니다. 표를 보고 막대그래프를 그릴 때, 2명에 해당하는 막대의 길이를 12 mm로 나타내려고 합니다. 수학을 좋아하는 학생 수를 막대그래프로 그리려면, 막대의 길이는 몇 mm로 해야 합니까?

좋아하는 과목별 학생 수

과목	국어	수학	과학	체육	음악	합계
학생 수(명)	3		2	5	2	20

19 어느 놀이공원에 온 초등학생 수를 학년별로 조사하여 나타낸 막대그래프입니다. 놀이공원에 온 3, 4학년 학생 수의 합은 5, 6학년 학생 수의 합보다 몇 명 더 많습니까?

놀이공원에 온 학생 수

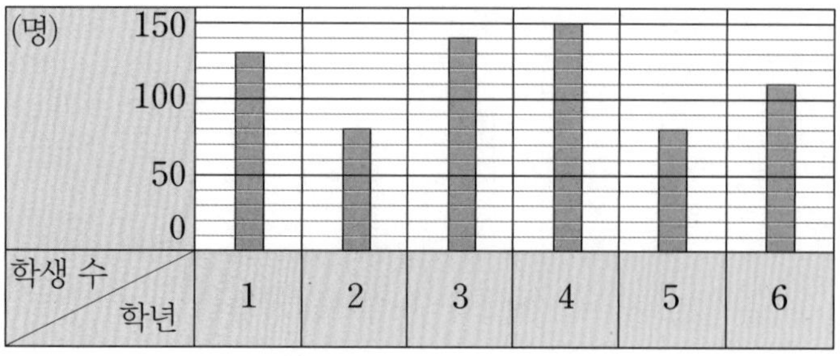

교과서 심화 과정

20 수학경시대회에서 상을 탄 4학년 학생 수를 반별로 조사하여 나타낸 막대그래프입니다. 상을 탄 학생이 가장 많은 반과 가장 적은 반의 학생 수의 차는 몇 명입니까?

상을 탄 학생 수

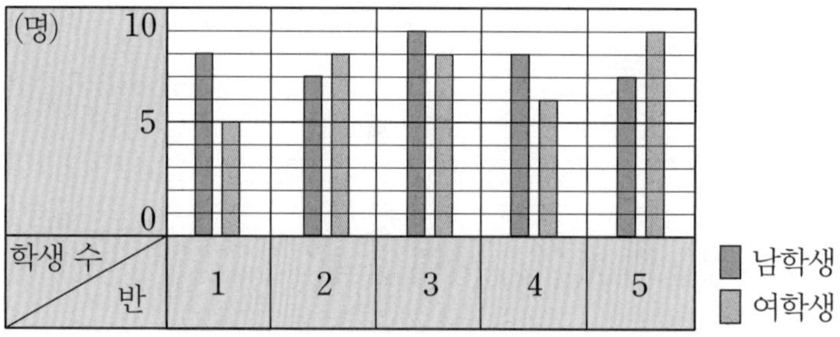

■ 남학생
■ 여학생

21 혜원이네 학교 4학년 학생들이 생일날 받고 싶은 선물을 조사하여 나타낸 막대그래프입니다. 막대의 세로 눈금 칸 수의 합이 28칸이고 문화상품권과 학용품을 받고 싶은 학생 수의 합이 65명일 때, 장난감을 받고 싶은 학생은 몇 명입니까?

생일날 받고 싶은 선물별 학생 수

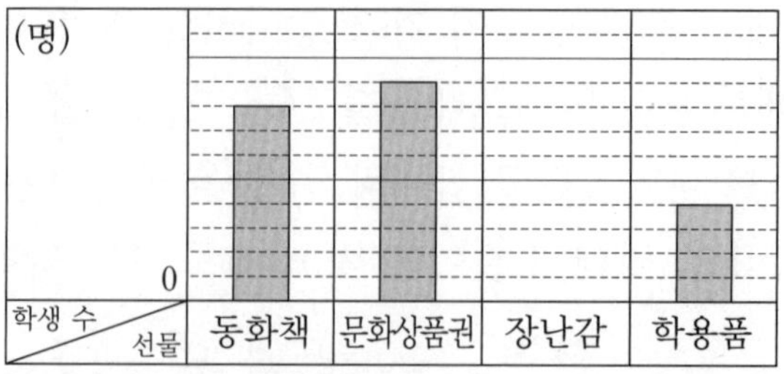

22 학생들이 가장 좋아하는 과일을 조사하여 나타낸 표입니다. 막대그래프의 눈금 한 칸을 5 mm로 나타낸다면, 학생 수가 가장 많은 과일과 가장 적은 과일의 막대의 길이의 차는 몇 cm가 되겠습니까? (단, 눈금 한 칸은 한 명을 나타냅니다.)

좋아하는 과일별 학생 수

과일	수박	참외	딸기	포도	합계
학생 수(명)	15	7	10		40

23 정우네 학교 4학년 학생들이 좋아하는 운동별 학생 수를 조사하였습니다. 조사에 참여한 학생 수는 205명일 때, 피구를 좋아하는 학생은 몇 명입니까?

4학년 학생들이 좋아하는 운동별 학생 수

24 용희가 지난주에 책을 읽은 시간을 조사하여 나타낸 막대그래프입니다. 용희가 금요일에 책을 읽은 시간은 일요일과 수요일에 책을 읽은 시간의 합의 $\frac{3}{8}$만큼입니다. 금요일에 책을 읽은 시간은 몇 분입니까?

요일별 책을 읽은 시간

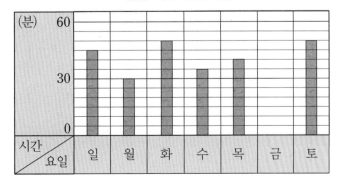

25 어느 마을의 하루 동안 과수원별 사과 생산량을 나타낸 막대그래프입니다. 이 사과를 개당 1200원에 모두 팔면 판매금액은 864000원이 됩니다. 나 과수원의 사과 생산량은 몇 개입니까?

과수원별 사과 생산량

(개) 300 200 100 0

사과의 수 / 과수원   가   나   다   라

0	0	0
1	1	1
2	2	2
3	3	3
4	4	4
5	5	5
6	6	6
7	7	7
8	8	8
9	9	9

[창의 사고력 도전 문제]

26 영수네 집에서 여러 장소까지의 거리를 나타낸 막대그래프입니다. 네 장소까지의 거리의 합은 3 km 600 m이고, 집에서 학교까지의 거리가 600 m일 때, 집에서 은행까지의 거리는 몇 m입니까?

집에서부터의 거리

거리 / 장소   0   (m)

학교
병원
우체국
은행

0	0
1	1	1
2	2	2
3	3	3
4	4	4
5	5	5
6	6	6
7	7	7
8	8	8
9	9	9

27 영철이가 가지고 있는 색깔별 색종이 수를 조사하여 나타낸 막대그래프입니다. 가장 많은 색종이와 가장 적은 색종이 수의 차가 24장일 때, 초록색 색종이는 몇 장이 될 수 있는지 모두 찾아 합을 구하면 얼마입니까?

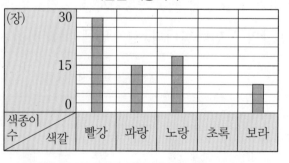

색깔별 색종이 수

(장) 30 15 0

색종이 수 / 색깔   빨강   파랑   노랑   초록   보라

0	0
1	1	1
2	2	2
3	3	3
4	4	4
5	5	5
6	6	6
7	7	7
8	8	8
9	9	9

28 가영이네 반 학생들이 슈퍼마켓에서 산 간식별 개수와 비용을 조사하여 나타낸 막대그래프입니다. 이 중에서 가영이는 과자 1개, 아이스크림 3개, 빵 1개, 음료수 2개를 사고 10000원을 냈습니다. 가영이가 받은 거스름 돈은 얼마입니까?

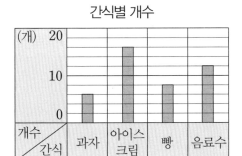

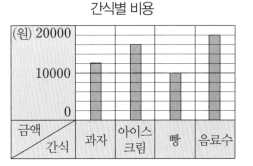

29 사과, 배, 감, 참외를 한 상자에 12개씩 과일별로 포장하였습니다. 과일을 모두 포장하는데 사용한 상자는 160개입니다. 다음은 각 과일별로 포장할 때 사용한 상자의 개수를 막대그래프로 나타낸 것입니다. 상자에 포장된 감의 개수는 모두 몇 개입니까?

과일별 상자의 개수

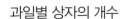

30 주사위를 30번 던져서 각각의 눈이 나온 횟수를 조사하여 나타낸 막대그래프입니다. 전체 나온 눈의 수의 합이 93일 때, 2의 눈이 나온 횟수는 몇 번입니까?

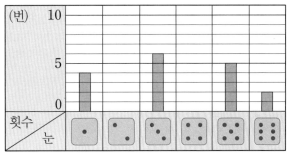

주사위의 눈이 나온 횟수

교과서 기본 과정

01 □ 안에 알맞은 수를 구하시오.

> 10000은 9980보다 □만큼 더 큰 수입니다.

⓪	⓪	⓪
①	①	①
②	②	②
③	③	③
④	④	④
⑤	⑤	⑤
⑥	⑥	⑥
⑦	⑦	⑦
⑧	⑧	⑧
⑨	⑨	⑨

02 ㉠이 나타내는 값은 ㉡이 나타내는 값의 몇 배입니까?

> 8<u>2</u>345<u>2</u>479
>   ㉠   ㉡

① 10배   ② 100배   ③ 1000배
④ 10000배   ⑤ 100000배

⓪	⓪	⓪
①	①	①
②	②	②
③	③	③
④	④	④
⑤	⑤	⑤
⑥	⑥	⑥
⑦	⑦	⑦
⑧	⑧	⑧
⑨	⑨	⑨

03 다음에서 둔각은 모두 몇 개입니까?

> 30°, 115°, 90°, 85°, 150°, 180°, 145°, 270°

⓪	⓪	⓪
①	①	①
②	②	②
③	③	③
④	④	④
⑤	⑤	⑤
⑥	⑥	⑥
⑦	⑦	⑦
⑧	⑧	⑧
⑨	⑨	⑨

04 □ 안에 알맞은 수를 구하시오.

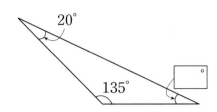

05 다음 두 수의 곱에서 숫자 0은 모두 몇 개입니까?

$$340 \times 50$$

06 나눗셈의 나머지가 될 수 있는 자연수 중에서 가장 큰 수는 얼마입니까?

$$□ \div 29$$

07 그림을 보고 ☐ 안에 알맞은 말을 차례로 써넣은 것은 어느 것입니까?

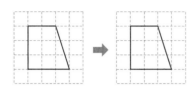

왼쪽 도형을 오른쪽으로 밀어도 도형의 ☐ 과(와) ☐ 는 변하지 않습니다.

① 모양, 위치　　　　② 위치, 크기
③ 모양, 크기　　　　④ 넓이, 위치

	0	0
1	1	1
2	2	2
3	3	3
4	4	4
5	5	5
6	6	6
7	7	7
8	8	8
9	9	9

08 왼쪽 도형을 돌려 오른쪽 모양이 되게 하려고 합니다. 어느 방향으로 돌리기 한 것입니까?

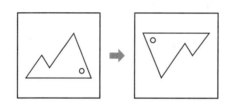

①　②　③　④　⑤

	0	0
1	1	1
2	2	2
3	3	3
4	4	4
5	5	5
6	6	6
7	7	7
8	8	8
9	9	9

09 유승이네 반 학생들이 태어난 계절을 조사하여 나타낸 표입니다. 여름에 태어난 학생은 몇 명입니까?

태어난 계절별 학생 수

계절	봄	여름	가을	겨울	합계
학생 수(명)	5		3	7	24

	0	0
1	1	1
2	2	2
3	3	3
4	4	4
5	5	5
6	6	6
7	7	7
8	8	8
9	9	9

10 한솔이네 반 학생들이 가장 좋아하는 민속놀이를 조사하여 나타낸 막대그래프입니다. 연날리기를 좋아하는 학생은 윷놀이를 좋아하는 학생보다 몇 명 더 많습니까?

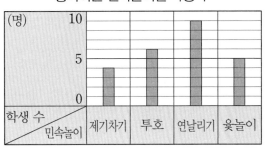

좋아하는 민속놀이별 학생 수

교과서 응용 과정

11 □ 안에 알맞은 수는 어느 것입니까?

> 1조는 100만이 □개인 수입니다.

① 100 ② 1000 ③ 10000
④ 100000 ⑤ 1000000

12 0부터 4까지의 숫자들을 이용하여 만든 여섯 자리 수가 있습니다. 이 수를 보고 예지와 수호가 다음과 같은 대화를 나누고 있습니다. 이 수의 천의 자리의 숫자는 무엇입니까?

> 예지 : 가장 큰 숫자가 가장 자릿값이 작은 자리에 있네.
> 수호 : 십의 자리의 숫자는 일의 자리의 숫자보다 1 작아.
> 예지 : 어! 십의 자리에 쓰인 숫자가 한 번 더 쓰였네.
> 수호 : 그런데 수를 읽을 때 백의 자리는 읽지 않아.
> 예지 : 만의 자리가 나타내는 수는 20000이야.
> 수호 : 음. 자릿값이 가장 큰 자리에는 놓일 수 있는 숫자 중 가장 작은 숫자가 쓰였어.

13 □ 안에 알맞은 수를 구하시오.

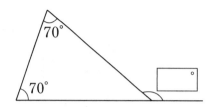

14 가장 큰 각도는 어느 것입니까?

① 3직각−85°   ② 120°+70°   ③ 3직각−1직각
④ 1직각+90°   ⑤ 2직각+20°

15 ㉮에 알맞은 수를 구하시오.

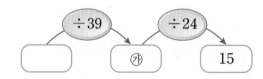

16 어떤 수를 57로 나누었더니 몫이 23이고, 나머지가 17이었습니다. 어떤 수를 ★이라 할 때 ★−500의 값을 구하시오.

17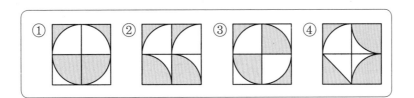

① ② ③ ④

와 모양으로 만들 수 <u>없는</u> 무늬는 어느 것입니까?

18 다음 수를 시계 반대 방향으로 180°만큼 돌렸을 때 만들어지는 수와 오른쪽으로 뒤집기를 15번 하였을 때 만들어지는 수의 차를 구하시오.

19 영철이네 마을 학생들이 가장 좋아하는 계절을 조사하여 나타낸 표입니다. 여름을 좋아하는 학생은 겨울을 좋아하는 학생보다 12명이 더 많습니다. 여름을 좋아하는 학생은 몇 명입니까?

좋아하는 계절별 학생 수

계절	봄	여름	가을	겨울	합계
학생 수(명)	23		32		157

20 학생들이 가고 싶은 현장체험학습 장소를 조사하여 그래프로 나타내었습니다. 그래프의 일부와 두 사람의 대화를 보고 놀이공원에 가고 싶은 학생은 모두 몇 명인지 구하시오.

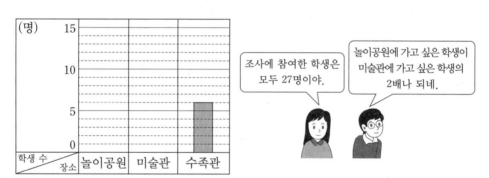

조사에 참여한 학생은 모두 27명이야.

놀이공원에 가고 싶은 학생이 미술관에 가고 싶은 학생의 2배나 되네.

교과서 심화 과정

21 규칙을 찾아 ㉠, ㉡, ㉢에 알맞은 수를 구했을 때 ㉠+㉡+㉢의 값을 구하시오.

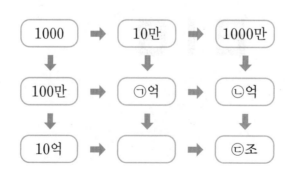

22 각 ㄴㅁㄹ의 크기를 구하시오.

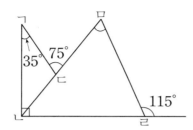

23 다음 숫자 카드 중 3장을 뽑아 한 번씩 사용하여 세 자리 수를 만들었습니다. 만든 수를 27로 나누었을 때, 몫이 32이고 나머지가 있는 경우는 모두 몇 가지입니까?

| 4 | 5 | 6 | 7 | 8 |

24 왼쪽 도형을 시계 반대 방향으로 □° 만큼 2번 돌린 후 아래쪽으로 뒤집었더니 오른쪽과 같은 모양이 되었습니다. □ 안에 들어갈 수 있는 가장 작은 수를 구하시오.

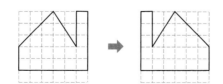

25 학생 38명이 가장 좋아하는 음식을 조사하여 나타낸 표와 막대그래프입니다. 떡국을 좋아하는 학생은 몇 명입니까?

좋아하는 음식별 학생 수

음식	떡국	짜장면	피자	떡볶이
학생 수(명)		9		11

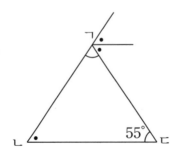

(명)				
학생 수 \ 음식	떡국	짜장면	피자	떡볶이

[창의 사고력 도전 문제]

26 □ 안의 숫자는 지워져서 보이지 않습니다. □ 안에 어떤 숫자를 써넣어 두 수의 차를 가장 작게 할 때, 그 차를 ㉮라고 합니다. ㉮의 각 자리의 숫자들의 합은 얼마입니까?

3□85332, 40□4□29

27 그림에서 각 ㄴㄱㄷ의 크기는 몇 도입니까? (단, ●의 각의 크기는 각각 같습니다.)

28 어떤 연속하는 세 수의 곱이 3□□□0이라고 할 때, 연속하는 세 수의 합을 구하시오.

29 을 이용하여 다음 무늬를 만들었습니다.  모양을 돌리기 하여 만든 모양은 모두 몇 개입니까?

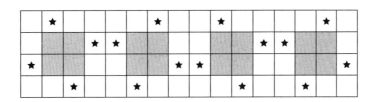

30 다음은 우리 마을 학생 40명이 사과, 배, 감, 포도, 수박 중에서 가장 좋아하는 과일을 한 가지씩만 선택하여 만든 막대그래프의 일부입니다. 감을 좋아하는 학생이 가장 많고 포도를 좋아하는 학생이 있기는 하지만 가장 적다고 할 때 수박을 좋아하는 학생은 최대 몇 명입니까?

좋아하는 과일별 학생 수

교과서 기본 과정

01 ㉠에 알맞은 수는 ☐조입니다. ☐ 안에 알맞은 숫자를 구하시오.

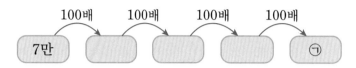

02 수직선을 보고 ㉠에 알맞은 수를 구하시오.

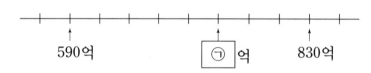

03 둔각삼각형을 바르게 설명한 것은 어느 것입니까?

① 세 각의 크기가 각각 60°인 삼각형
② 세 각 중 한 각의 크기가 직각인 삼각형
③ 세 각의 크기가 모두 직각보다 작은 삼각형
④ 세 각의 크기가 모두 직각보다 큰 삼각형
⑤ 세 각 중 한 각의 크기가 직각보다 크고 180°보다 작은 삼각형

04　□ 안에 알맞은 수를 구하시오.

$$\boxed{\square}\,직각-85^{\circ}+75^{\circ}=260^{\circ}$$

05　□ 안에 들어갈 수 있는 자연수 중에서 가장 작은 수를 구하시오.

$$34\times\boxed{}>646$$

06　다음에서 몫이 한 자리 수인 나눗셈은 모두 몇 개입니까?

ㄱ 327÷45　ㄴ 726÷63　ㄷ 286÷24
ㄹ 425÷53　ㅁ 539÷57　ㅂ 863÷92

07 오른쪽 모양은 왼쪽 도형을 어떻게 돌렸을 때 만들어지는 모양입니까?

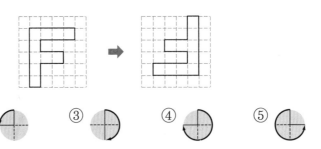

①   ②   ③   ④ ⬤ ⑤ ⬤

08 다음 모양 중에서 새로운 무늬를 만들 때, 돌리기를 한 모양과 뒤집기를 한 모양이 항상 같지 <u>않은</u> 것은 어느 것입니까?

① ◻○ ② ◻✕ ③ ◻◇

④ ◻✕ ⑤ ◻

09 학생들의 장래 희망을 조사하여 나타낸 막대그래프입니다. 의사가 되고 싶은 학생은 선생님이 되고 싶은 학생보다 몇 명 더 많습니까?

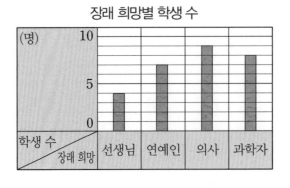

장래 희망별 학생 수

10 교내 드론 대회에 참가한 학생 수를 조사하여 나타낸 그래프입니다. 참가한 전체 학생 수는 모두 62명이고, 4학년 학생 수는 2학년 학생 수의 2배입니다. 드론 대회에 참가한 4학년 학생 수는 몇 명입니까?

교내 드론 대회에 참가한 학생 수

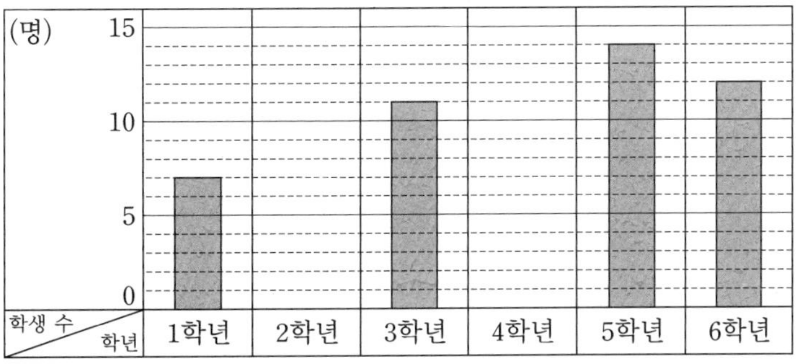

교과서 응용 과정

11 다음 중 가장 큰 수의 백만의 자리 숫자는 무엇입니까?

> ㉠ 5234267823
> ㉡ 억이 254개, 만이 367개, 일이 25개인 수
> ㉢ 이백팔억 육천오백팔십만 칠천사십구

12 100원짜리 동전 100개를 쌓은 높이는 150 mm입니다. 같은 동전 1억 개를 쌓은 높이는 몇 km가 되겠습니까?

13 그림에서 찾을 수 있는 크고 작은 예각은 모두 몇 개입니까?

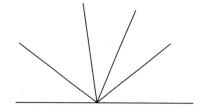

14 현재 시각이 오른쪽과 같을 때, 1시간 30분 후에 시계의 긴바늘과 짧은바늘이 이루는 작은 쪽의 각의 크기를 구하시오.

15 어떤 수에 74를 곱해야 할 것을 잘못하여 더했더니 308이 되었습니다. 바르게 계산한 결과를 ㉮라고 할 때 ㉮의 각 자리의 숫자들의 합을 구하시오.

16 한별이는 문구점에서 한 타에 1440원 하는 연필 10자루와 한 권에 500원 하는 공책 7권을 사고 5000원을 내었습니다. 한별이가 거스름 돈으로 받아야 할 돈은 얼마입니까?

17 오른쪽 도형을 위쪽으로 뒤집은 후 어떻게 돌리면 처음 도형과 같은 모양이 되겠습니까?

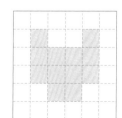

①   ②   ③

④   ⑤

18 오른쪽 모양을 위쪽으로 뒤집고 시계 방향으로 270°만큼 돌렸을 때 생기는 모양과 처음의 모양 을 겹쳤을 때 겹쳐지는 부분의 모눈은 모두 몇 칸 입니까?

19 유승이네 학교 4학년 학생 중 여름 방학 캠프에 참가하는 학생 수를 조사하여 나타낸 막대그래프입니다. 전체 참가 인원이 78명일 때 참가하는 3반 남학생은 몇 명입니까?

학생 수 반	0	5	10	15	20 (명)
1반					
2반					
3반					

■ 남학생 ■ 여학생

20 학생 80명을 대상으로 다니는 학원을 조사하여 나타낸 막대그래프입니다. 피아노 학원을 다니는 학생 수가 영어 학원을 다니는 학생 수의 2배보다 4명 적을 때 태권도 학원을 다니는 학생은 몇 명입니까?

다니는 학원별 학생 수

(명)	40 20 0			
학생 수 학원	태권도	영어	피아노	기타

교과서 심화 과정

21 다음의 수 중 세 번째로 큰 수는 어느 것입니까?

① 500만보다 40만 작은 수
② 사백육십만보다 오십만 큰 수
③ 10000이 442개, 100이 77개, 1이 50개인 수
④ 4875200
⑤ 54만을 10배 한 수

22 각 ㄱㅂㅁ의 크기를 구하시오.

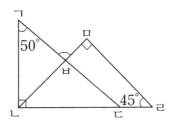

	⓪	⓪
①	①	①
②	②	②
③	③	③
④	④	④
⑤	⑤	⑤
⑥	⑥	⑥
⑦	⑦	⑦
⑧	⑧	⑧
⑨	⑨	⑨

23 동민이는 병아리 17마리와 강아지 11마리를 키우고 있었습니다. 이 중에서 병아리 8마리와 강아지 몇 마리를 가영이에게 주고 남은 두 동물의 다리 수를 세어 보니 42개였습니다. 가영이에게 준 강아지는 몇 마리입니까?

	⓪	⓪
①	①	①
②	②	②
③	③	③
④	④	④
⑤	⑤	⑤
⑥	⑥	⑥
⑦	⑦	⑦
⑧	⑧	⑧
⑨	⑨	⑨

24 오른쪽 도형을 뒤집거나 돌렸을 때 처음 도형과 같은 모양이 되는 것은 어느 것입니까?

① 왼쪽으로 뒤집기 ➡ 오른쪽으로 ◔만큼 돌리기

　➡ 아래쪽으로 뒤집기

② 왼쪽으로 ◔만큼 돌리기 ➡ 위쪽으로 뒤집기

　➡ 오른쪽으로 ◔만큼 돌리기

③ 아래쪽으로 뒤집기 ➡ 위쪽으로 뒤집기

　➡ 오른쪽으로 ◑만큼 돌리기

④ 오른쪽으로 ◔만큼 돌리기 ➡ 오른쪽으로 뒤집기

　➡ 왼쪽으로 뒤집기

⑤ 왼쪽으로 뒤집기 ➡ 오른쪽으로 뒤집기

　➡ 오른쪽으로 ⊖만큼 돌리기

	⓪	⓪
①	①	①
②	②	②
③	③	③
④	④	④
⑤	⑤	⑤
⑥	⑥	⑥
⑦	⑦	⑦
⑧	⑧	⑧
⑨	⑨	⑨

25 어느 해의 오전 9시 미세먼지 농도가 '좋음'인 날수를 조사한 막대그래프입니다. 막대그래프의 일부가 찢어져 보이지 않습니다. 4월부터 7월까지 오전 9시 미세

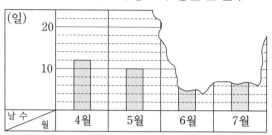

오전 9시 미세먼지 농도가 '좋음'인 날수

먼지 농도가 '좋음'인 날은 모두 54일입니다. 7월은 6월보다 '좋음'인 날수가 4일 더 많습니다. 7월에 오전 9시 미세먼지 농도가 좋지 않았던 날은 모두 며칠입니까?

⎡ 창의 사고력 도전 문제 ⎤

26 0부터 9까지의 숫자를 한 번씩만 사용하여 만들 수 있는 열 자리 수 중에서 9876540000보다 큰 수는 모두 몇 개입니까?

27 그림에서 각 ㉮, 각 ㉯, 각 ㉰, 각 ㉱, 각 ㉲의 각도의 합은 몇 도입니까?

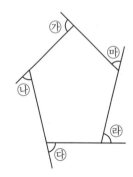

28 한 개에 790원인 단팥빵이 있습니다. 이 단팥빵을 ㉮ 제과점에서는 12개를 사면 2개를 더 줍니다. ㉯ 제과점에서는 단팥빵을 7개 살 때마다 650원씩 할인해 줍니다. 이때 단팥빵 28개를 두 제과점에서 각각 산다면 ㉮ 제과점에서 사는 것이 ㉯ 제과점에서 사는 것보다 얼마나 더 싸게 살 수 있습니까?

29 보기와 같은 방법으로 오른쪽 도형을 돌려서 색칠된 칸이 지나간 자리를 모두 색칠했을 때 색칠된 칸의 수와 색칠되지 않은 칸의 수의 차는 몇 칸인지 구하시오.

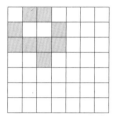

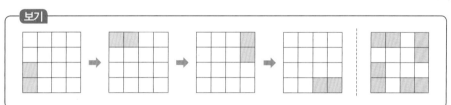

30 다음은 퀴즈대회에서 민섭이네 모둠 학생들이 문제를 맞힌 결과입니다. 민섭이네 모둠이 얻은 점수는 총 400점이고 건희가 얻은 점수는 재현이가 얻은 점수보다 50점이 많습니다. 건희가 3점짜리 문제를 맞혀 얻은 점수는 민섭이가 3점짜리 문제를 맞혀 얻은 점수보다 12점이 높을 때, 재현이가 맞힌 3점짜리 문제의 개수와 건희가 맞힌 5점짜리 문제의 개수의 합을 구하시오.

퀴즈대회에서 맞힌 문제 수

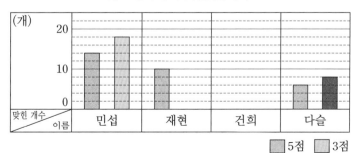

교과서 기본 과정

01 ㉠에 알맞은 수는 ☐만입니다. ☐ 안에 알맞은 수를 구하시오.

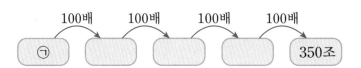

02 다음을 숫자로 나타냈을 때, 0의 개수는 모두 몇 개입니까?

사십팔억 삼백이십구

03 직사각형 모양의 종이를 선을 따라 오려서 여러 개의 삼각형을 만들었습니다. 둔각삼각형은 몇 개입니까?

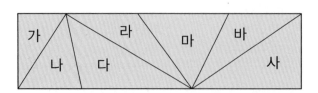

04 오른쪽 시계의 긴바늘과 짧은바늘이 이루는 작은 쪽의 각의 크기는 몇 도입니까?

⓪ ⓪
① ① ①
② ② ②
③ ③ ③
④ ④ ④
⑤ ⑤ ⑤
⑥ ⑥ ⑥
⑦ ⑦ ⑦
⑧ ⑧ ⑧
⑨ ⑨ ⑨

05 1초에 35 m씩 달리는 기차가 있습니다. 이 기차가 일정한 빠르기로 20분 동안 달린다면 간 거리는 몇 km입니까?

06 토마토 818개를 25개씩 상자에 포장하였습니다. 포장하고 남은 토마토는 몇 개입니까?

07 왼쪽 도형을 돌려서 오른쪽 모양이 되었습니다. 어느 방향으로 돌리기 한 것입니까?

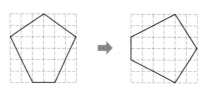

①   ②   ③   ④   ⑤

08 오른쪽 도형을 왼쪽으로 9번 뒤집은 뒤 시계 반대 방향으로 180°만큼 돌렸을 때의 모양은 어느 것입니까?

① 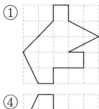   ②   ③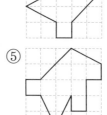

④   ⑤

09 윤주네 학교 4학년 학생들이 가고 싶은 현장체험학습 장소를 조사하였습니다. 물놀이장을 가고 싶은 학생 수가 민속촌을 가고 싶은 학생 수보다 8명 더 많습니다. 윤주네 학교 4학년 학생 전체가 조사에 참여하였다면 윤주네 학교 4학년 학생 수는 모두 몇 명입니까?

가고 싶은 현장체험학습 장소별 학생 수

장소＼학생 수	0	10	20	30	(명)
농촌체험					
물놀이장					
민속촌					
놀이공원					

10 백화점 앞 도로에서 20분 동안 지나간 차를 종류별로 조사하여 나타낸 표입니다. 승용차 수가 트럭 수의 3배일 때 버스 수는 몇 대입니까?

종류별 차의 수

종류	승합차	승용차	택시	버스	트럭	합계
차의 수(대)	12		36		8	98

교과서 응용 과정

11 ㉠이 나타내는 수와 ㉡이 나타내는 수를 바르게 비교한 것은 어느 것입니까?

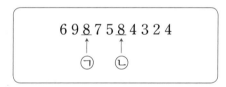

① ㉠=㉡입니다.　　　　② ㉠은 ㉡의 10배입니다.
③ ㉠은 ㉡의 100배입니다.　④ ㉠은 ㉡의 1000배입니다.
⑤ ㉠은 ㉡의 10000배입니다.

12 □ 안에는 0부터 9까지 어느 숫자를 넣어도 됩니다. 세 수의 크기를 바르게 비교한 것은 어느 것입니까?

㉠ 96□58175□5　　㉡ □602□□5840　　㉢ 9603□976□4

① ㉠>㉡>㉢　　　② ㉠>㉢>㉡　　　③ ㉡>㉠>㉢
④ ㉢>㉠>㉡　　　⑤ ㉡>㉢>㉠

13 시계의 긴바늘과 짧은바늘이 이루는 작은 쪽의 각이 예각인 것은 어느 것입니까?

① 5시　　　　　　② 1시 30분

③ 3시 30분　　　④ 9시 30분

⑤ 6시

14 다음 그림은 선분 ㄱㄴ에 삼각형 3개를 그린 것입니다. □ 안에 알맞은 각도는 몇 도입니까?

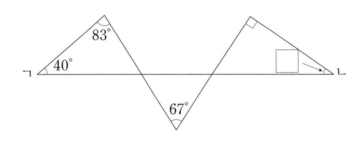

15 명절 음식을 준비하기 위해 소고기 3 kg과 돼지고기 4 kg을 사려고 합니다. 소고기와 돼지고기의 100 g당 가격이 다음과 같을 때 음식 준비를 위해 필요한 돈은 얼마인지 알아보았습니다. 빈칸에 알맞은 수를 구하시오.

종류	100 g당 가격
소고기	1650원
돼지고기	970원

➡ 필요한 돈 : □00원

16 5장의 숫자 카드 중 3장을 골라 조건 에 맞는 세 자리 수를 만들려고 합니다. 만들 수 있는 세 자리 수 중 가장 큰 수를 구하시오.

조건
만든 세 자리 수를 32로 나누면 몫은 28이 되고 나누어떨어지지 않아야 한다.

17 어떤 도형을 시계 반대 방향으로 270°만큼 2번 돌렸을 때와 같은 모양이 나오는 것은 어느 것입니까?

① 시계 반대 방향으로 90°만큼 3번 돌렸을 때의 모양
② 시계 방향으로 90°만큼 2번 돌렸을 때의 모양
③ 시계 방향으로 180°만큼 2번 돌렸을 때의 모양

18 왼쪽의 그림을 다음과 같은 순서로 움직였습니다. 움직인 결과 ♥가 있는 곳의 번호를 쓰시오.

 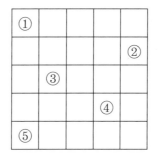

위로 뒤집기 ➡ 시계 반대 방향으로 90°만큼 돌리기
➡ 왼쪽으로 뒤집기

19 5명의 친구들이 현장체험학습에서 주운 밤의 개수를 조사하여 나타낸 그래프입니다. 5명이 주운 밤의 개수의 총합이 245개이면 밤을 가장 많이 주운 학생과 두 번째로 많이 주운 학생의 밤의 개수의 차는 몇 개입니까?

주운 밤의 개수

이름 / 개수	0								(개)
미나									
태호									
경서									
지우									
나래									

20 수미네 학교 4학년 학생들이 가장 해 보고 싶은 전통놀이를 조사하여 나타낸 그래프입니다. 조사에 참여한 4학년 전체 학생 수가 128명이고 비석치기를 해 보고 싶은 학생 수가 투호놀이를 해 보고 싶은 학생 수보다 16명 적을 때, 투호놀이를 해 보고 싶은 학생 수는 몇 명입니까?

전통놀이별 학생 수

(명)	투호놀이	팽이치기	비석치기	제기차기
40				
20				
학생 수 / 장소				

교과서 심화 과정

21 만 원짜리 100장의 두께는 9 mm입니다. 만 원짜리로 10억 원이 있다면 두께는 몇 m가 되겠습니까?

22 삼각형의 세 각 ㉠, ㉡, ㉢이 다음의 조건을 모두 만족할 때, 삼각형의 세 각의 크기 중 두 번째로 큰 각의 크기는 몇 도입니까?

> • ㉠은 ㉡보다 77° 큽니다.
> • ㉡은 ㉢보다 19° 작습니다.

23 지수가 가지고 있는 구슬은 파란색 구슬 19개, 노란색 구슬 35개이고, 석범이가 가지고 있는 구슬의 수는 지수가 가지고 있는 구슬 수의 3배보다 12개 더 많습니다. 석범이가 가지고 있는 구슬을 6명의 친구에게 똑같이 나누어 준다면 한 사람에게 몇 개씩 줄 수 있습니까?

24 도형을 왼쪽으로 □번, 위쪽으로 □번, 아래쪽으로 □번 뒤집은 후 오른쪽 방향으로 ◔만큼 □번 돌리면 처음 모양과 같아집니다. 10보다 작은 수 중에서 □ 안에 공통으로 들어갈 수 있는 수를 모두 찾아 합을 구하면 얼마입니까?

25 지수가 오늘 문구점에서 산 물건의 금액을 조사하여 나타낸 그래프입니다. 지수가 오늘 연필을 사는데 쓴 돈은 1200원이고 물감을 사는데 쓴 돈은 공책을 사는데 쓴 돈과 지점토를 사는데 쓴 돈을 합한 금액의 반입니다. 지수가 물건을 사기 위해 낸 돈이 8000원이라면 거스름돈은 얼마입니까?

문구점에서 산 물건의 금액

(원)				
금액＼학용품	연필	공책	물감	지점토

창의 사고력 도전 문제

26 0부터 9까지의 10개의 숫자를 한 번씩만 사용하여 만든 열 자리 수 중에서 40억에 가장 가까운 수를 ㉮라고 할 때 ㉮의 십만 자리의 숫자는 무엇입니까?

27 다음 도형에서 ㉠＋㉡＋㉢＋㉣＋㉤＋㉥의 크기는 몇 도입니까?

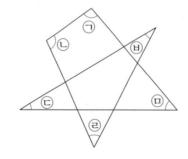

28 KTX는 최고 속도로 1분 동안 5 km를 갈 수 있고, 전투기는 최고 속도로 1초 동안 300 m를 날아갈 수 있습니다. 한국형 우주 발사체 누리호의 성공적인 발사를 위해서는 마지막 단계에서 2초 동안 15 km를 날아가야 합니다. 누리호가 2초 동안 15 km를 가는 속도로 1분 동안 갈 수 있는 거리를 KTX와 전투기가 각각 최고 속도로 갔을 때 걸리는 시간의 차는 몇 분입니까?

29 채연이는 도화지에 왼쪽 그림과 같이 색종이를 붙여 모양을 만든 후 아래쪽으로 11번 뒤집고 시계 반대 방향으로 270°만큼 13번 돌려 도화지를 확인해 보니 색종이가 몇 개 떨어져 있었습니다. 색종이가 떨어진 위치의 숫자를 모두 더하면 얼마입니까?

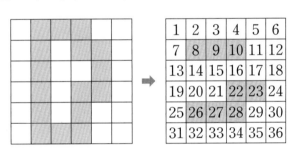

30 학생들이 가장 좋아하는 음식을 조사하여 막대그래프와 그림그래프로 나타낸 것입니다. 조사에 참여한 학생은 모두 몇 명입니까?

(단, ●>▲>✦입니다.)

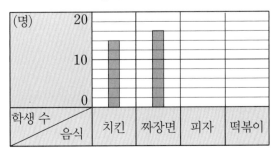

좋아하는 음식

좋아하는 음식

음식	학생 수
치킨	●✦✦✦✦
짜장면	●▲✦
피자	▲✦✦✦
떡볶이	●

❀ 부록에 있는 OMR 카드를 사용해 보세요.

교과서 기본 과정

01 ㉠이 나타내는 값은 ㉡이 나타내는 값의 몇 배입니까?

862457892   52637284
  ㉠   ㉡

(   )배

02 뛰어 세는 규칙을 찾아 ㉠에 알맞은 수를 구했을 때 ㉠의 각 자리 숫자의 합을 구하시오.

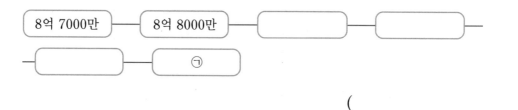

8억 7000만 — 8억 8000만 — ☐ — ☐
— ☐ — ㉠

(   )

03 ☐ 안에 알맞은 수를 구하시오.

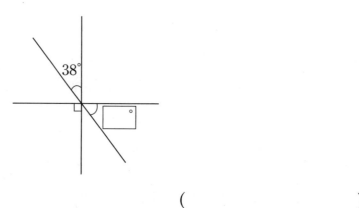

38°

(   )

04 다음 그림에서 □ 안에 알맞은 수를 구하시오.

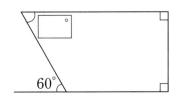

(   )

05 계산 결과가 나머지와 <u>다른</u> 하나는 어느 것입니까? (   )

① 700×30 ② 350×60 ③ 70×300

④ 35×600 ⑤ 900×15

06 어떤 수를 70으로 나누었더니 몫이 9가 되고, 나머지는 □가 되었습니다. 어떤 수가 될 수 있는 수 중에서 가장 큰 수는 얼마입니까?

(   )

07 오른쪽 도형을 다음과 같은 방법으로 움직일 때, 모양이 <u>다른</u> 하나는 어느 것입니까? (   )

① 위쪽으로 2번 뒤집기　　② 위쪽으로 4번 뒤집기

③ 오른쪽으로 4번 뒤집기　　④ 아래쪽으로 3번 뒤집기

⑤ 아래쪽으로 2번 뒤집기

08 아연이는 선물 포장지를 보고 어떤 방법으로 규칙적인 무늬를 만들었는지 동생에게 설명하고 있습니다. ☐ 안에 알맞은 수 중 가장 작은 수를 구하시오.

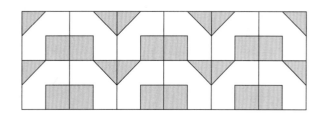

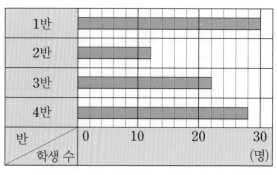

모양을 시계 방향으로 ☐° 만큼 돌려서 모양을 만들고 그 모양을 오른쪽과 아래쪽으로 밀어서 무늬를 만든거야.

(   )

09 반별로 우유를 먹는 학생 수를 조사하여 나타낸 막대그래프입니다. 우유를 먹는 학생들에게 사탕을 2개씩 나누어 주려면 사탕은 모두 몇 개가 있어야 합니까?

반별 우유를 먹는 학생 수

반 \ 학생 수	0	10	20	30 (명)
1반				
2반				
3반				
4반				

(   )개

10 친구들이 지난 일주일 동안 공부한 시간을 조사하여 나타낸 표입니다. 석기가 일주일 동안 공부한 시간은 몇 분입니까?

일주일 동안 공부한 시간

이름	예슬	효근	석기	유승	합계
시간(분)	520	320		240	1500

( )분

[교과서 응용 과정]

11 0부터 9까지의 숫자 중에서 □ 안에는 같은 숫자가 들어갑니다. □ 안에 공통으로 들어갈 수 있는 숫자는 모두 몇 개입니까?

34□356274 < 3□8403276

( )개

12 수 카드를 두 번씩 사용하여 만든 12자리 수 중에서 7000억에 가장 가까운 수를 구할 때 십억의 자리에 쓰인 숫자, 천만의 자리에 쓰인 숫자, 천의 자리에 쓰인 숫자의 합은 얼마입니까?

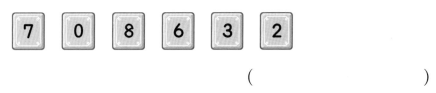

( )

13 그림에서 ㉮는 몇 도입니까?

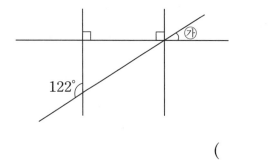

(   )°

14 다음 도형에서 ㉠과 ㉡의 합은 몇 도입니까?

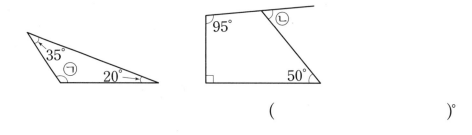

(   )°

15 연필 한 자루의 가격은 480원이고 사야 하는 연필의 개수는 18자루입니다. 준비해 가야 하는 돈이 대략 얼마인지 바르게 어림한 사람은 누구입니까? (   )

① 나래 : 480은 400에 가깝고 18은 20에 가까우므로 약 8000원만 가져가면 돼.
② 지연 : 480은 400으로 어림하고 18은 10으로 어림해서 약 4000원이면 될거야.
③ 리원 : 480은 450에 가깝고, 18은 15에 가까우니까 약 6750원을 준비할거야.
④ 재호 : 480은 400으로 어림하고 18은 15에 가까우니까 약 6000원이면 살 수 있어.
⑤ 주호 : 480은 500보다 작고, 18은 20보다 작으므로 대략 10000원을 준비해 가면 충분할거야.

16 다음 식에서 ■가 될 수 있는 수 중 가장 큰 수는 얼마입니까?

$$■ \div 28 = 33 \cdots ★$$

(   )

17 다음 알파벳 대문자 중 왼쪽으로 뒤집은 뒤 시계 방향으로 180°만큼 돌렸을 때의 모양이 처음과 같아지는 것은 모두 몇 개입니까?

A B C D E F G H
I J K L M N O

(   )개

18 왼쪽의 모양 조각을 오른쪽으로 뒤집은 후 어떤 방향으로 돌렸더니 오른쪽 모양이 되었습니다. 어떤 방향으로 돌렸는지 번호를 쓰시오. (   )

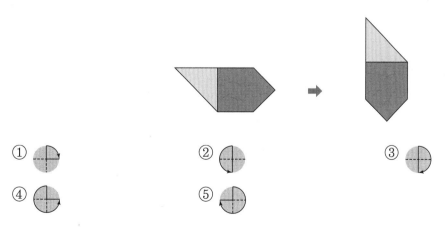

19 상연이가 책을 읽은 시간을 조사하여 나타낸 막대그래프입니다. 수요일에 책을 읽은 시간은 금요일에 책을 읽은 시간의 3배보다 5분 적다고 합니다. 수요일에 책을 읽은 시간은 몇 분입니까?

(   )분

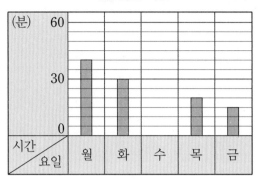

책을 읽은 시간

20 집에서 학교까지의 거리를 조사하여 나타낸 막대그래프입니다. 가영이는 6분에 300 m를 걷는 빠르기로 집에서 출발하여 오전 8시 30분에 학교에 도착하려면 집에서 ㉠시 ㉡분에 출발해야 합니다. ㉠+㉡의 값을 구하시오.

(   )

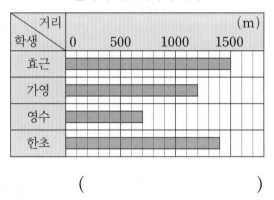

집에서 학교까지의 거리

╌╌╌ 교과서 심화 과정 ╌╌╌

21 2 , 0 , 5 , 4 , 8 의 숫자를 각각 3번까지 사용하여 13자리의 수를 만들려고 합니다. 만들 수 있는 다섯 번째로 큰 수를 만들었을 때 (백의 자리 숫자)+(천의 자리 숫자)+(만의 자리 숫자)의 값을 구하시오.

(   )

22 다음 도형에서 ㉠과 ㉡의 차는 몇 도입니까?

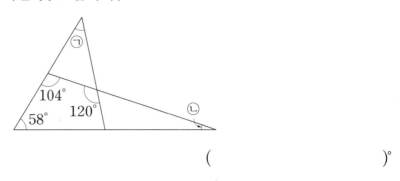

(   )°

23 다음과 같이 규칙적으로 나열된 수를 일정하게 묶었습니다. 50번째 묶음에 있는 수들의 합은 얼마입니까?

$$(1, \ 3, \ 5), \ (7, \ 9), \ (11, \ 13, \ 15), \ (17, \ 19), \ (21, \ 23, \ 25), \ \cdots$$

(   )

24 왼쪽 그림을 시계 방향으로 90°만큼 돌린 후 왼쪽으로 뒤집었을 때 생기는 9개의 화살표 방향으로 차례대로 오른쪽 덧셈식을 뒤집기 하였습니다. 뒤집기를 한 덧셈식의 결과를 구하시오.

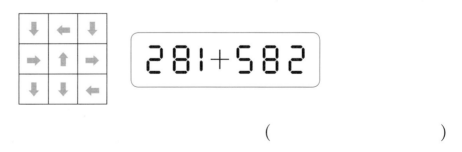

(   )

25 가영이네 학교에서 학년별 미술 대회 수상자 수를 조사하여 나타낸 막대그래프입니다. 수상자가 가장 많은 학년과 가장 적은 학년의 수상자 수의 차는 몇 명입니까?

미술 대회 수상자

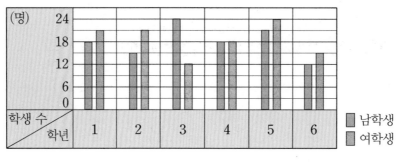

(   )명

창의 사고력 도전 문제

26 서로 다른 숫자 카드를 두 번씩 사용하여 4000억에 가장 가까운 12자리 수를 만들려고 합니다. 그중 카드 한 장은 뒤집어져 숫자가 보이지 않습니다. 이때 천억의 자리 숫자가 4이면서 가장 작은 수와 천억의 자리 숫자가 3이면서 가장 큰 수의 차는 11668913388입니다. 4000억에 가장 가까운 수를 구하여 일억의 자리에 쓰인 숫자, 천의 자리에 쓰인 숫자의 합을 구하시오.

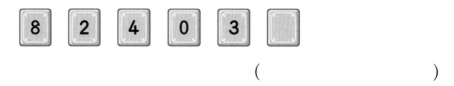

(   )

27 각 ㉮와 각 ㉯의 각도의 합은 몇 도입니까?

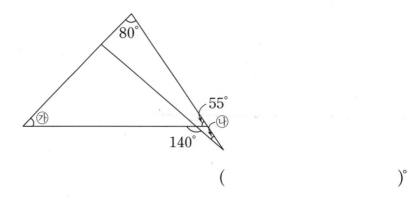

(   )°

28 영수와 영철이가 주운 밤이 바구니 속에 가득 들어 있습니다. 이 밤 중에서 각각 60개씩 나누어 가진 다음 가위바위보를 하여 이기면 밤 8개를 바구니 속에서 꺼내 갖고, 지면 자신이 가지고 있는 밤 5개를 바구니 속에 다시 넣기로 하였습니다. 가위바위보를 20번 하고나니 영수가 가지고 있는 밤은 51개가 되었습니다. 영수는 20번의 가위바위보 중 몇 번을 이겼습니까? (단, 비긴 적은 없습니다.)

(   )번

29 왼쪽과 같은 타일 2장을 이용하여 오른쪽 빈칸에 만들 수 있는 서로 다른 무늬는 몇 가지입니까? (단, 돌리거나 뒤집었을 때 모양이 같은 것은 한 가지로 생각합니다.)

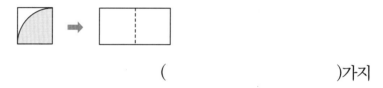

(   )가지

30 다음은 퀴즈대회에서 학생들이 받은 점수를 조사하여 나타낸 막대그래프입니다. 총 3문제가 출제되었고 1번은 20점, 2번은 30점, 3번은 50점이었습니다. 두 문제만 맞힌 학생은 18명이고, 한 문제만 맞힌 학생들의 점수의 합이 나머지 학생들의 점수의 합보다 800점 작습니다. 3번만 맞힌 학생은 몇 명인지 구하시오.

퀴즈대회 점수별 학생 수

점수	20점	30점	50점	70점	80점	100점
학생 수 (명)	10	7	0	8	5	3

(   )명

🌸 부록에 있는 OMR 카드를 사용해 보세요.

교과서 기본 과정

01 다음 중 크기가 <u>다른</u> 수는 어느 것입니까? (   )

① 9999만보다 1만 큰 수
② 1000만씩 10묶음인 수
③ 9990만보다 100만 큰 수
④ 100만씩 100묶음인 수
⑤ 9000만보다 1000만 큰 수

02 0부터 9까지의 숫자 중 다음 □ 안에 들어갈 수 있는 숫자는 모두 몇 개입니까?

$$202048976375 < 2020\square9802431$$

(   )개

03 다음 시각 중에서 시계의 긴바늘과 짧은바늘이 이루는 작은 쪽의 각이 둔각인 것은 어느 것입니까? (   )

① 1시 20분   ② 3시   ③ 2시 15분
④ 6시 35분   ⑤ 5시 5분

04 다음 그림에서 각 ㄴㅇㄷ의 크기는 몇 도입니까?

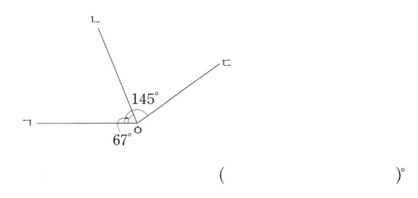

(   )°

05 ㉮에 알맞은 수는 무엇입니까?

```
              2 2
        ┌─────────
   23 ) 5 ㉮ 7
        4 6
        ─────
        □ 7
        4 6
        ─────
        2 1
```

(   )

06 무지개 아파트에는 모두 105세대가 살고 있습니다. 한 세대에서 사용하지 않는 플러그를 뽑아 하루에 절약할 수 있는 전기요금은 69원입니다. 무지개 아파트에서 사용하지 않는 플러그 뽑기로 하루에 절약할 수 있는 전기 요금은 ㉠㉡㉢㉣원입니다. 이때 ㉠+㉡+㉢+㉣의 값을 구하시오.

(   )

07 왼쪽 모양 조각을 어떤 방향으로 돌렸더니 오른쪽 모양이 되었습니다. 어떤 방향으로 돌린 것입니까? (   )

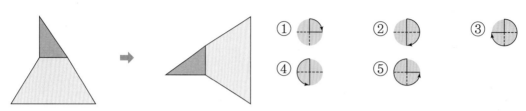

① 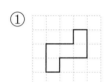   ② 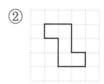   ③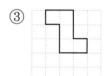

④ 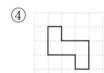   ⑤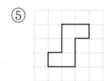

08 오른쪽 도형을 위쪽으로 뒤집은 뒤 시계 방향으로 90°만큼 돌렸을 때의 모양은 어느 것입니까? (   )

①   ②   ③

④   ⑤

09 가영이네 학교 4학년 학생들이 가장 좋아하는 운동을 조사하여 나타낸 막대그래프입니다. 조사에 참가한 4학년 학생은 모두 몇 명입니까?

좋아하는 운동별 학생 수

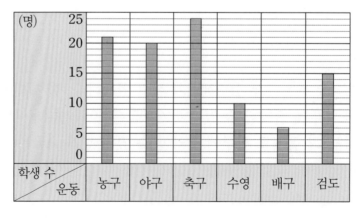

(   )명

10 한솔이네 학교에서 반별로 봉사 활동을 한 남학생 수와 여학생 수를 조사하여 나타낸 막대그래프입니다. 봉사활동을 한 남학생 수와 여학생 수의 차가 가장 큰 반은 어느 반입니까?

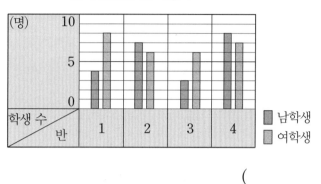

봉사 활동을 한 학생 수

(　　　　　　　)반

교과서 응용 과정

11 다음의 숫자 카드를 모두 한 번씩 사용하여 일곱 자리 수를 만들었을 때, 설명이 **틀린** 것은 어느 것입니까? (　　　　　)

| 1 | 3 | 0 | 5 | 9 | 6 | 8 |

① 가장 작은 수를 만들면 1035689입니다.
② 가장 큰 수를 만들면 9865310입니다.
③ 만든 수 중 가장 큰 수와 가장 작은 수의 차는 8829621입니다.
④ 두 번째로 작은 수를 만들었을 때, 숫자 3이 나타내는 수는 300000입니다.
⑤ 세 번째로 큰 수를 만들면 9865130입니다.

12 □ 안에는 0부터 9까지의 숫자 중에서 같은 숫자가 들어갑니다. □ 안에 들어갈 수 있는 숫자는 모두 몇 개입니까?

76□5221357 > 765□282825

(　　　　　　　)개

13 다음 도형에서 □ 안에 알맞은 각도는 몇 도입니까?

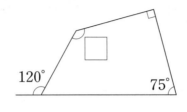

(   )°

14 도형에서 각 ㄷㅁㄹ의 크기는 몇 도입니까?

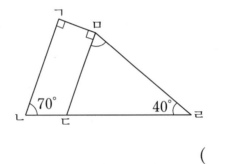

(   )°

15 어떤 수에 50을 더하고 그 합을 5로 나눈 후 23을 빼면 22가 됩니다. 이때 어떤 수는 얼마입니까?

(   )

16 아버지의 연세는 내 나이의 4배보다 5살이 적고, 할아버지의 연세는 아버지의 연세의 2배보다 5살이 적다고 합니다. 할아버지의 연세가 73세라고 할 때, 내 나이는 몇 살입니까?

( )살

17 주어진 수를 다음과 같이 움직였을 때 만들어지는 수와 처음 수와의 차를 구하시오.

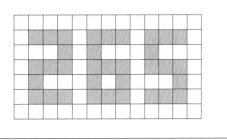

아래로 뒤집기 ➡ 오른쪽으로 뒤집기

( )

18 주어진 무늬는 어떤 한 가지 모양을 뒤집기와 돌리기를 이용하여 만든 것입니다. 주어진 무늬를 만들 수 있는 정사각형 모양 중에서 넓이가 가장 작은 정사각형으로 주어진 무늬를 만들려면 정사각형이 몇 개 필요합니까?

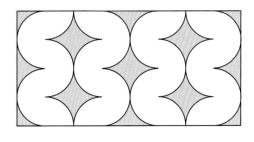

( )개

19 효근이네 가족의 몸무게를 조사하여 나타낸 막대그래프입니다. 효근이네 가족 중에서 가장 무거운 사람과 두 번째로 가벼운 사람의 몸무게의 차는 몇 kg입니까?

효근이네 가족의 몸무게

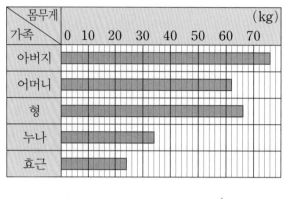

(   ) kg

20 학생들이 가장 좋아하는 계절을 조사하여 나타낸 표입니다. 여름을 좋아하는 학생은 가을을 좋아하는 학생보다 7명이 더 적고 가을을 좋아하는 학생은 겨울을 좋아하는 학생보다 5명이 더 많습니다. 겨울을 좋아하는 학생은 몇 명입니까?

가장 좋아하는 계절별 학생 수

계절	봄	여름	가을	겨울	합계
학생 수(명)	7				28

(   )명

교과서 심화 과정

21 어느 회사의 한 달 매출액 76400000원을 다음과 같이 은행에 저금하였습니다. □ 안에 알맞은 수를 구하시오.

> 1000만 원짜리 수표 5장, 100만 원짜리 수표 □장,
> 10만 원짜리 수표 133장, 만 원짜리 지폐 210장

(   )장

22 직사각형 모양의 종이를 오른쪽 그림과 같이 접었습니다. 이 때, ㉮와 ㉯의 각도의 합을 구하시오.

(   )°

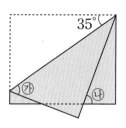

23 □ 안에 들어갈 수 있는 숫자를 모두 찾아 합을 구하면 얼마입니까?

$$9\square4 \div 42 = 23 \cdots ★$$

(   )

24 ㉮를 뒤집어 가면서 그림과 같은 무늬를 만들려고 합니다. 크고 작은 원이 80개가 되도록 무늬를 만들려면, 적어도 몇 번을 뒤집어야 합니까?

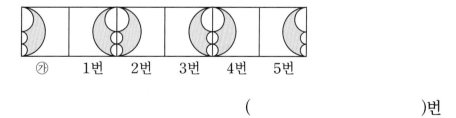

㉮   1번   2번   3번   4번   5번

(   )번

25 미소네 모둠에서는 바구니에 콩주머니를 던져 넣는 놀이를 하고 있습니다. 네 명의 친구가 각각 20개의 콩주머니를 던졌을 때 바구니에 넣은 콩주머니의 개수와 넣지 못한 콩주머니의 개수를 조사하여 그래프로 나타냈습니다. 기본 점수는 60점이고 콩주머니를 한 개씩 던질 때, 넣으면 10점을 얻고 넣지 못하면 3점이 감점됩니다. 나연이가 얻은 점수가 156점이라면 콩주머니를 가장 많이 넣은 사람의 점수와 두 번째로 많이 넣은 사람의 점수의 차는 몇 점입니까?

넣은 콩주머니 수와 넣지 못한 콩주머니 수

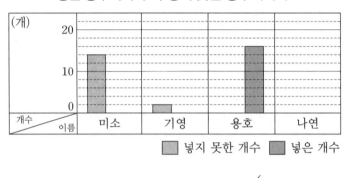

□ 넣지 못한 개수 ■ 넣은 개수

(   )점

[창의 사고력 도전 문제]

26 가장 큰 수부터 차례대로 쓴 것입니다. ㉠과 ㉡에 들어갈 수 있는 숫자의 개수의 합을 구하시오.

$$207325416 - 20㉠529735 - 205418266 - 20541823㉡$$

(   )개

27 도형에서 표시된 각의 크기의 합은 몇 도입니까?

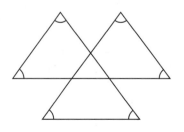

(   )°

28 어떤 세 자리 수를 어떤 두 자리 수로 나누었을 때, 몫이 나머지보다 2만큼 큰 경우가 있습니다. 예를 들면 106을 26으로 나누면 몫은 4이고 나머지는 2이므로 몫이 나머지보다 2만큼 큽니다. 이와 같이 어떤 세 자리 수를 27로 나누었을 때 몫이 나머지보다 2만큼 큰 세 자리 수는 모두 몇 개입니까?

(   )개

29 오른쪽 무늬는 어떤 한 가지 모양을 돌리기를 이용하여 만든 것입니다. 주어진 무늬를 만들 수 있는 정사각형 모양 중에서 넓이가 두 번째로 작은 정사각형으로 주어진 무늬를 만들려면 정사각형이 몇 개 필요합니까?

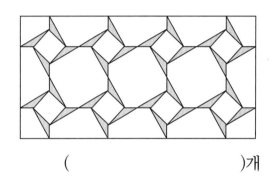

(   )개

30 효근이네 모둠 학생들이 가지고 있는 붙임 딱지 수를 조사하여 나타낸 그래프입니다. 효근이네 모둠 학생들이 가지고 있는 붙임딱지는 모두 몇 장입니까?

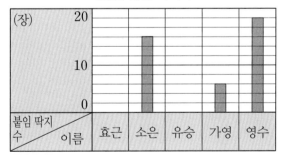

학생별 붙임 딱지 수

이름	붙임 딱지 수
효근	☆☆ ●●●●
소은	
유승	☆ ●●●
가영	☆ ●
영수	☆☆☆☆

(   )장

Memo

KMA 한국수학학력평가

학교명:

성명:

현재 학년:　　반:

수 험 번 호 (1)

생 년 월 일 (2)
년　　월　　일

감독자
확인란

번호	1번	2번	3번	4번	5번	6번	7번	8번	9번	10번
답란	백 십 일	백 십 일	백 십 일	백 십 일	백 십 일	백 십 일	백 십 일	백 십 일	백 십 일	백 십 일

번호	11번	12번	13번	14번	15번	16번	17번	18번	19번	20번
답란	백 십 일	백 십 일	백 십 일	백 십 일	백 십 일	백 십 일	백 십 일	백 십 일	백 십 일	백 십 일

번호	21번	22번	23번	24번	25번	26번	27번	28번	29번	30번
답란	백 십 일	백 십 일	백 십 일	백 십 일	백 십 일	백 십 일	백 십 일	백 십 일	백 십 일	백 십 일

답표기란

1. 모든 항목은 컴퓨터용 사인펜만 사용하여 보기와 같이 표기하시오.

   보기) ① ● ③

   ※ 잘못된 표기 예시 : ⓥ ⓧ ⊙ ⚋

2. 수정시에는 수정테이프를 이용하여 깨끗하게 수정합니다.

3. 수험번호(1), 생년월일(2)란에는 감독 선생님의 지시에 따라 아라비아 숫자로 쓰고 해당란에 표기하시오.

4. 답란에는 아라비아 숫자를 쓰고, 해당란에 표기하시오.

   ※ OMR카드를 잘못 작성하여 발생한 성적 결과는 책임지지 않습니다.

OMR 카드 답안작성 예시 1 한 자릿수	예1) 답이 1 또는 선다형 답이 ①인 경우 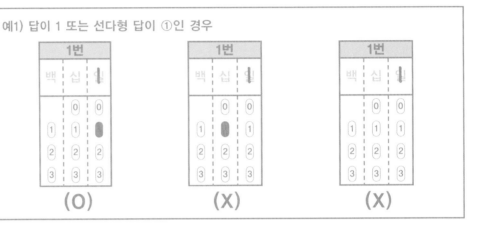

OMR 카드 답안작성 예시 2 두 자릿수	예2) 답이 12인 경우 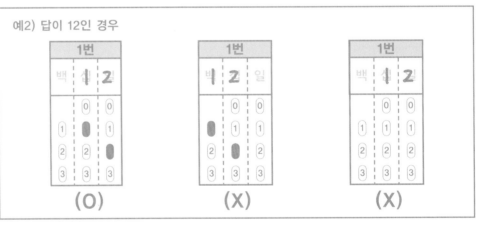

OMR 카드 답안작성 예시 3 세 자릿수	예3) 답이 230인 경우 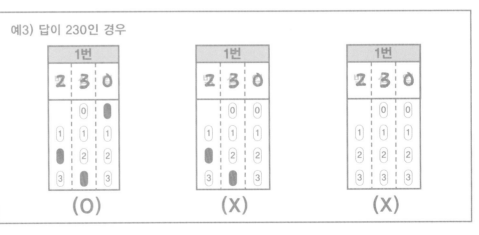

KMA 한국수학학력평가

학 교 명:

성 명:

현재 학년: 반:

수 험 번 호 (1)	생년월일 (2)
	년 월 일

감독자
확인란

번호	1번	2번	3번	4번	5번	6번	7번	8번	9번	10번
답란	백 십 일	백 십 일	백 십 일	백 십 일	백 십 일	백 십 일	백 십 일	백 십 일	백 십 일	백 십 일

번호	11번	12번	13번	14번	15번	16번	17번	18번	19번	20번
답란	백 십 일	백 십 일	백 십 일	백 십 일	백 십 일	백 십 일	백 십 일	백 십 일	백 십 일	백 십 일

번호	21번	22번	23번	24번	25번	26번	27번	28번	29번	30번
답란	백 십 일	백 십 일	백 십 일	백 십 일	백 십 일	백 십 일	백 십 일	백 십 일	백 십 일	백 십 일

1. 모든 항목은 컴퓨터용 사인펜만 사용하여 보기와 같이 표기하시오.

   보기) ① ● ③

   ※ 잘못된 표기 예시 : ⊘ ⊗ ⦿ ∅

2. 수정시에는 수정테이프를 이용하여 깨끗하게 수정합니다.

3. 수험번호(1), 생년월일(2)란에는 감독 선생님의 지시에 따라 아라비아 숫자로 쓰고 해당란에 표기하시오.

4. 답란에는 아라비아 숫자를 쓰고, 해당란에 표기하시오.

   ※ OMR카드를 잘못 작성하여 발생한 성적 결과는 책임지지 않습니다.

OMR 카드 답안작성 예시 1 한 자릿수	예1) 답이 1 또는 선다형 답이 ①인 경우

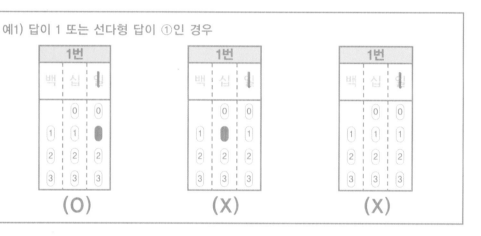

OMR 카드 답안작성 예시 2 두 자릿수	예2) 답이 12인 경우

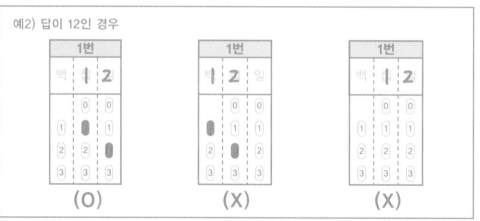

OMR 카드 답안작성 예시 3 세 자릿수	예3) 답이 230인 경우

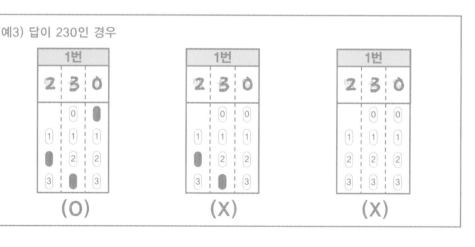

KMA
Korean Mathematics Ability Evaluation
한국수학학력평가

상반기 대비

정답과 풀이

초 4학년

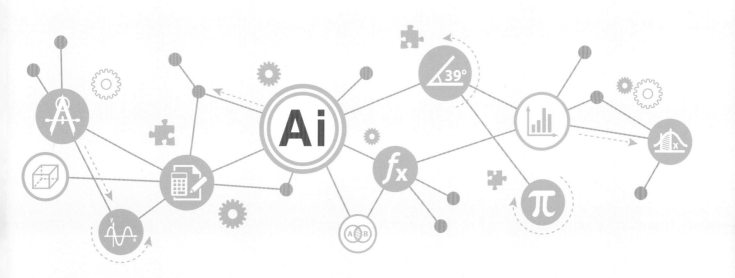

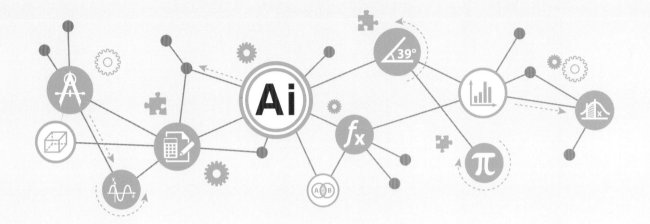

KMA
Korean Mathematics Ability Evaluation
한국수학학력평가

상반기 대비

정답과 풀이

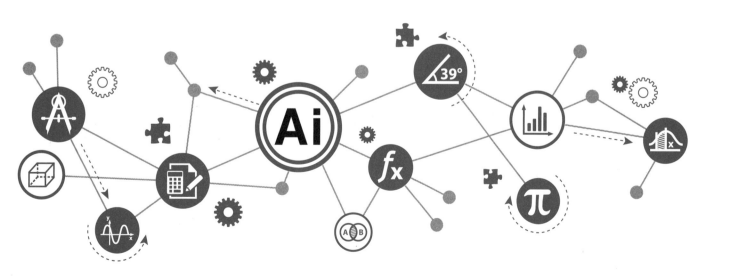

KMA 단원 평가

① 큰 수
8~17쪽

01 ②	02 ③	03 63
04 ③	05 100	06 4
07 18	08 6	09 450
10 3	11 500	12 21
13 14	14 3	15 6
16 692	17 ⑤	18 26
19 986	20 395	21 8
22 12	23 6	24 40
25 4	26 23	27 40
28 6	29 27	30 7

02 ①, ②, ④, ⑤ : 1억
③ : 1억 900만

03 706|0063|1209|0001|은 조가 706개,
　　　　조　 억　 만　 일
억이 63개, 만이 1209개, 일이 1개인 수입니다.

04 • 먼저 자리 수를 비교해 보면 ②는 7자리 수이고 ①, ③은 8자리 수이므로 ②는 가장 작은 수입니다.
• ①의 □ 안에 9를 넣고 ③의 □ 안에 0을 넣어 비교해 보면 ①<③이므로 ③이 가장 큰 수입니다.

05 ㉠의 8은 8000000을 나타내고 ㉡의 8은 80000을 나타냅니다.
따라서 ㉠의 8이 나타내는 수는 ㉡의 8이 나타내는 수의 100배입니다.

06 □ 안에 들어갈 수 있는 숫자는 3, 2, 1, 0이므로 4개입니다.

07 가장 큰 수 : 875420, 두 번째 큰 수 : 875402
➡ 875420−875402=18

08 90080700605이므로 0은 모두 6개가 사용됩니다.

09 100배씩 커지는 수로 뛰어세기 한 것입니다.
따라서 ㉠은 45000의 $\frac{1}{100}$배인 450입니다.

10 5800000□583978＞58000006800000에서 십만의 자리 수를 비교하면 5<8이므로 □ 안에는 6보다 큰 숫자가 들어가야 합니다.
따라서 □ 안에 들어갈 수 있는 숫자는 7, 8, 9이므로 모두 3개입니다.

11 만 원짜리 100장은 100만 원이고 1000억 원은 100만 원의 100000배입니다.
➡ (5mm의 100000배)=500000mm
　　　　　　　　　　　=500m

12
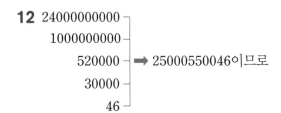
25210550046−25000550046
=210000000입니다.
따라서 210000000은 1000만이 21개인 수입니다.

13 4805|7001|3692|0000|
　　　　조　 억　 만　 일
백조의 자리 숫자는 8, 백억의 자리 숫자는 0, 백만의 자리 숫자는 6이므로
8+0+6=14입니다.

14 1327800원의 100배는 132780000원이므로 천만의 자리의 숫자는 3입니다.

15 천만의 자리 숫자가 7인 작은 수부터 나열하면
1072345689, 1072345698, 1072345869, 1072345896, …입니다.
따라서 네 번째로 작은 수는 1072345896이므로 일의 자리 숫자는 6입니다.

16 512조−476조=36조입니다.
2025년의 우리나라 예산은 512조에서 36조씩 5번 뛰어 센 수이므로
512조−548조−584조−620조−656조−692조에서 2025년의 국가 예산은 약 692조 원이 됩니다.

17 ⑤ 세 번째로 작은 수는 10345769입니다.

18 100만 원짜리 수표 6장은 6000000원, 만 원짜리 지폐 32장은 320000원, 천원짜리 지폐 120장은 120000원이므로
6000000＋320000＋120000＝6440000(원)입니다. 지영이 어머니께서 찾은 돈은 9040000원이므로 9040000－6440000＝2600000(원)에서 10만 원짜리 수표는 26장 받아야 합니다.

19 가장 작은 수는 1023456이고, 두 번째로 작은 수는 1023457입니다.
따라서 사용되지 않은 숫자 카드는 6, 8, 9이므로 가장 큰 세 자리 수는 986입니다.

20 500억－350억＝150억이므로 150억을 똑같이 10칸으로 나눌 때 눈금 한 칸의 크기는
150억÷10＝15억입니다.
㉠은 350억부터 15억씩 3번 뛰어 센 수이므로 350억－365억－380억－395억입니다.
따라서 ■ 안에 알맞은 수는 395입니다.

21 가장 큰 여섯 자리 수는 높은 자리부터 큰 숫자를 놓고, 가장 작은 여섯 자리 수는 높은 자리부터 작은 숫자를 놓습니다. 단, 가장 높은 자리에는 0을 놓을 수 없습니다.
먼저, 가장 큰 여섯 자리 수는 975430이고, 두 번째로 큰 여섯 자리 수는 975403입니다.
세 번째로 큰 여섯 자리 수는 975340이므로 ㉠은 3이고, 가장 작은 여섯 자리 수는 304579이므로 ㉡은 5입니다.
따라서 ㉠＋㉡＝3＋5＝8입니다.

22 524만을 100배 한 수 ➡ 5억 2400만
5억 2400만에서 2000만씩 크게 5번을 뛰어 센 수 ➡ 6억 2400만
따라서 6억 2400만의 각 자리의 숫자의 합은 6＋2＋4＝12입니다.

23 억의 자리, 천만의 자리 숫자가 같고, 오른쪽 수의 백만의 자리 숫자가 4이므로 □ 안에 4부터 차례로 넣어 크기를 비교해 봅니다.
□ 안에 들어갈 숫자는 4, 5, 6, 7, 8, 9로 모두 6개입니다.

24 ㉡의 조건을 만족하는 백만의 자리 숫자는 9, 백의 자리 숫자는 3입니다.
㉢에서 천의 자리 숫자가 7이므로 ㉠, ㉡, ㉢ 세 조건을 모두 만족하는 수 중 가장 큰 수는 9867354입니다.
따라서 십만의 자리 숫자는 8, 십의 자리 숫자는 5이므로 두 숫자의 곱은 8×5＝40입니다.

25 0부터 9까지의 숫자를 한 번씩 사용하여 만의 자리의 숫자가 3이고, 억의 자리의 숫자가 1인 가장 작은 수를 만들면 2104536789입니다.
이 수를 100배 하면 210453678900이고, 이때 억의 자리의 숫자는 4입니다.

26 5천만, 1억, 1억 5천만, ……, 11억 5천만까지 23개입니다.

27 ㄱㄴ9ㄷㄹㅁㅂㅅㅇ의 아홉 자리 수가 가장 작으려면 ㄱ~ㅇ까지 순서대로 1, 0, 2, 3, 4, 5, 6, 7이어야 하므로 4는 천의 자리 숫자입니다.
따라서 나타내는 수는 4000입니다.
㉮＝4000이므로 ㉮÷100＝40입니다.

28 ? 에 적힌 숫자가 8보다 큰 9라고 하면, 조건에 맞는 여덟 자리 수의 가장 큰 수와 가장 작은 수의 차는 99988800－80008899＝19979901입니다.
두 수의 차가 28859912가 아니므로 ? 에 적힌 숫자는 0과 8 사이의 숫자입니다.
이때, 조건에 맞는 여덟 자리 수의 가장 큰 수와 가장 작은 수의 차가 28859912이므로
888 ? ? ? 00－ ? 000 ? ? 88＝28859912
(8－ ?)가 2가 되어야 하므로 ? 에 적힌 숫자는 6입니다.

29 8㉠57㉡6이 836245보다 크려면 천의 자리의 숫자 5＜6이므로 만의 자리 숫자는 ㉠＞3이어야 합니다.
또 8㉠57㉡6이 865767보다 작으려면 ㉠＜7이어야 합니다.
㉠이 4일 때 ㉡에는 0부터 9까지 10개의 숫자를 넣을 수 있고, ㉠이 5일 때도 ㉡에는 0부터

9까지 10개의 숫자를 넣을 수 있습니다.
㉠이 6일 때는 8657㉡6<865767에서 ㉡에는
0, 1, 2, 3, 4, 5, 6으로 7개의 숫자를 넣을 수
있습니다.
따라서 8□57□6이 될 수 있는 경우는 모두
27가지입니다.

30 ┃8┃㉠┃㉡┃㉢┃㉣┃0┃㉤┃4┃2┃㉥┃
㉠, ㉡, ㉢, ㉣, ㉤, ㉥에 사용할 수 있는 숫자
는 1, 3, 5, 6, 7, 9입니다.
6개의 숫자를 사용하여 가장 작은 수부터 차례
로 만들어 봅니다.
①⇒135679   ②⇒135697
③⇒135769   ④⇒135796
⑤⇒135967   ⑥⇒135976
⑦⇒136579   ⑧⇒136597
⑨⇒136759   ⑩⇒136795
따라서 10번째로 작은 수의 십만 자리의 숫자
는 7입니다.

❷ 각도   18~27쪽

01 ③	**02** 4	**03** ④
04 ②	**05** 3	**06** ③
07 ②	**08** 3	**09** 38
10 34	**11** 40	**12** 120
13 135	**14** 95	**15** 85
16 80	**17** 55	**18** 115
19 25	**20** 80	**21** 2
22 35	**23** 15	**24** 64
25 55	**26** 123	**27** 360
28 75	**29** 40	**30** 720

02 ㉠$=180°-20°=160°$이고,
$160°÷40°=4$이므로 ㉠은 왼쪽 각의 4배입니다.

04 주어진 각을 그리는 순서는
① 각의 한 변 ㄴㄷ을 그립니다.
② 각도기의 중심을 꼭짓점 ㄴ에 맞추고 각도
기의 밑금을 변 ㄴㄷ에 맞춥니다.

③ 각도기에서 125°가 되는 눈금에 점 ㄱ을 표
시합니다.
④ 변 ㄱㄴ을 그어 각도가 125°인 각 ㄱㄴㄷ을
완성합니다.

05 예각은 90°보다 작은 각이므로 27°, 75°, 59°로
3개입니다.

06 ① 1직각$+120°=210°$ ② 3직각$-70°=200°$
③ 4직각$-80°=280°$ ④ 2직각$+30°=210°$
⑤ 2직각$+80°=260°$

07 ①, ④, ⑤ ➡ 예각
③ ➡ 직각
② ➡ 둔각

08 둔각 : 4개, 예각 : 1개 ➡ $4-1=3$(개)

09 (각 ㄱㅇㄹ)$=180°-38°=142°$
(각 ㄱㅇㄷ)$=180°-142°=38°$

10 □$=90°-56°=34°$

11 (각 ㄱㅇㄴ)$=180°-(90°+50°)=40°$

12 삼각형의 세 각의 크기의 합은 180°이므로
□$=180°-(30°+30°)=120°$

13 ☆$=180°-135°=45°$
이므로
㉠$+$㉡$=180°-45°$
        $=135°$
입니다.

14 (각 ㄴㄹㄷ)$=180°-(35°+60°)=85°$이므로
(각 ㄱㄹㄷ)$=180°-85°=95°$입니다.

15 (각 ㄱㄷㄴ)
$=180°-(80°+40°)$
$=60°$이므로
(각 ㅁㄷㄹ)$=60°$
입니다.
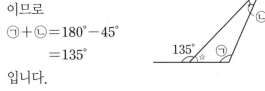
따라서 각 ㄷㄹㅁ의 크기는
$180°-(60°+35°)=85°$입니다.

16 사각형의 네 각의 크기의 합은 360°이므로
□$=360°-(120°+80°+80°)=80°$입니다.

17 ☆$=360°-125°$
$=235°$이므로
㉠$+$㉡
$=360°-(235°+70°)$
$=55°$입니다.

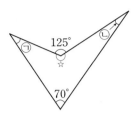

18 (각 ㄱㄹㄷ)$=360°-75°-130°-90°=65°$
(각 ㄱㄹㅁ)$=180°-65°=115°$

19 (각 ㄴㅁㄹ)$=180°-70°=110°$
(각 ㅁㄹㄴ)$=90°-45°=45°$
삼각형 ㅁㄴㄹ의 세 각의 크기의 합은 $180°$이므로 (각 ㅁㄴㄹ)$=180°-110°-45°=25°$입니다.

20 ☆$=180°-100°$
$=80°$
이므로
□$=360°$
$-(90°+80°+110°)=80°$

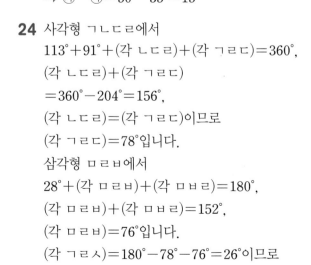

21 예각 ➡ ㉡, ㉢, ㉤, ㉥
둔각 ➡ ㉠, ㉣

22 (각 ㄴㄱㄷ)$=360°-(90°+115°+100°)=55°$
㉮$=180°-(90°+55°)=35°$

23 ㉮$=180°-(55°+75°)$
$=50°$
☆$=360°$
$-(140°+75°+55°)$
$=90°$
㉯$=180°-(90°+55°)=35°$
➡ ㉮$-$㉯$=50°-35°=15°$

24 사각형 ㄱㄴㄷㄹ에서
$113°+91°+$(각 ㄴㄷㄹ)$+$(각 ㄱㄹㄷ)$=360°$,
(각 ㄴㄷㄹ)$+$(각 ㄱㄹㄷ)
$=360°-204°=156°$,
(각 ㄴㄷㄹ)$=$(각 ㄱㄹㄷ)이므로
(각 ㄱㄹㄷ)$=78°$입니다.
삼각형 ㅁㄹㅂ에서
$28°+$(각 ㅁㄹㅂ)$+$(각 ㅁㅂㄹ)$=180°$,
(각 ㅁㄹㅂ)$+$(각 ㅁㅂㄹ)$=152°$,
(각 ㅁㄹㅂ)$=76°$입니다.
(각 ㄱㄹㅅ)$=180°-78°-76°=26°$이므로

삼각형 ㄱㄹㅅ에서
(각 ㄹㄱㅅ)$=180°-90°-26°=64°$입니다.

25 각 ㅁㅂㄷ의 크기는
$180°-40°=140°$
입니다.
따라서
□$=360°$
$-(95°+70°+140°)$
$=55°$입니다.

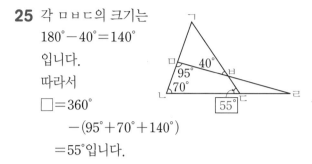

26 각 ㄱㄴㄷ과 각 ㄱㄷㄴ의 합은
$180°-66°=114°$이므로
각 ㄹㄴㄷ과 각 ㄹㄷㄴ의 합은
$114°÷2=57°$입니다.
따라서 ㉮$=180°-57°=123°$입니다.

27 ㉠$+$㉡$+$㉢$+$㉣$=180°×4-360°=360°$

28 (각 ㄹㄷㅁ)$=180°-(80°+20°)=80°$
(각 ㄹㄷㅁ)$=$(각 ㄱㄷㄴ)이므로
(각 ㄴㄱㄷ)$=180°-(25°+80°)=75°$

29

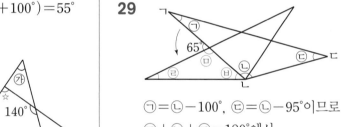

㉠$=$㉡$-100°$, ㉢$=$㉡$-95°$이므로
㉠$+$㉡$+$㉢$=180°$에서
㉡$-100°+$㉡$+$㉡$-95°=180°$,
㉡$+$㉡$+$㉡$=375°$, ㉡$=125°$입니다.
따라서 ㉠$=125°-100°=25°$,
㉢$=125°-95°=30°$입니다.
㉣$=$㉠$=25°$, ㉤$=180°-65°=115°$,
㉥$=180°-($㉣$+$㉤$)$
$=180°-(25°+115°)=40°$
삼각형 ㄱㄴㄷ을 $40°$만큼 돌린 것입니다.

30

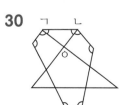

보조선을 그어 생각해 보면 각 ㉢과 각 ㉥의 합은 각 ㅇㄱㄴ과 각 ㅇㄴㄱ의 합과 같으므로 결국 육각형의 내각의 합과 같아집니다.
따라서 $180°×4=720°$입니다.

③ 곱셈과 나눗셈　　28~37쪽

01 60	**02** ④	**03** 431
04 690	**05** 5	**06** 24
07 23	**08** 27	**09** 13
10 41	**11** 6	**12** 200
13 10	**14** 21	**15** 435
16 184	**17** 38	**18** 50
19 14	**20** 12	**21** 13
22 42	**23** 628	**24** 520
25 10	**26** 14	**27** 4
28 4	**29** 17	**30** 137

01 $400 \times 60 = 24000$이므로 □ 안에 알맞은 수는 60입니다.

02 ① 16000　② 21000　③ 24000　④ 25000
➡ ①<②<③<④

03 ① $326 \times 72 = 23472$　② $425 \times 54 = 22950$
③ $607 \times 43 = 26101$　④ $725 \times 60 = 43500$
④>③>①>②이므로 431입니다.

04 $276 \times 25 = 6900$이므로 $6900 \div 10 = 690$입니다.

05 $240 \div 30 = 8$, $420 \div 70 = 6$, $450 \div 90 = 5$이므로 몫이 가장 작은 나눗셈의 몫은 5입니다.

06 □÷25의 나머지가 될 수 있는 자연수 중에서 가장 큰 수는 나누는 수 25보다 1 작은 수인 24입니다.

07 $693 \div 30 = 23 \cdots 3$이므로 23봉지까지 팔 수 있습니다.

08 $23 \times □ = 627$ ➡ $627 \div 23 = 27 \cdots 6$이므로 □ 안에 들어갈 수 있는 가장 큰 수는 27입니다.

09 $661 \div 24 = 27 \cdots 13$이므로 게시판을 꾸미고 남은 색 테이프는 13 cm입니다.

10 $737 \div 25 = 29 \cdots 12$이므로 상자 수는 29개, 남은 귤 수는 12개입니다.
따라서 ㉮는 29, ㉯는 12이므로
㉮+㉯=29+12=41입니다.

11
$$
\begin{array}{r}
\boxed{㉢}\ \boxed{㉡}\ 8 \\
\times\qquad 5\ \boxed{㉠} \\
\hline
1\ \boxed{2}\ \boxed{3}\ 2 \\
\boxed{1}\ \boxed{5}\ 4\ 0 \\
\hline
1\ \boxed{㉮}\ 6\ 3\ 2 \\
\end{array}
$$
㉠에는 9 또는 4가 들어갈 수 있습니다.
㉠이 9일 때 ㉡은 4, ㉢은 1이어야 하는데 $148 \times 59 = 8732$가 되어 옳지 않습니다.
㉠이 4일 때 ㉡은 0, ㉢은 3이 되어 $308 \times 54 = 16632$가 되어 ㉮는 6입니다.

12 1시간 20분=60분+20분=80분이고 1분에 2500 m를 달리므로 80분 동안에 간 거리는 $2500 \times 80 = 200000$(m)입니다.
➡ $200000\,\text{m} = 200\,\text{km}$

13 ㉠ $200 \times 30 = 6000$(3개)
㉡ $420 \times 50 = 21000$(3개)
㉢ $500 \times 60 = 30000$(4개)
➡ 3+3+4=10(개)

14 곱이 가장 작은 곱셈식은 $356 \times 24 = 8544$이므로 8+5+4+4=21입니다.

15 □÷30의 나머지가 될 수 있는 수는 1부터 29까지의 수입니다.
$1+2+3+4+\cdots\cdots+27+28+29$
$=(1+29) \times 29 \div 2$
$=15 \times 29$
$=435$

16 (감자, 양파, 당근의 100 g당 가격의 합)
$=330+210+380=920$(원)
$2\,\text{kg}=2000\,\text{g}$이고 2000 g은 100 g의 20배입니다.
➡ $920 \times 20 = 18400$(원)

17 몫이 가장 크려면 나누어지는 세 자리 수는 가장 큰 수, 나누는 두 자리 수는 가장 작은 수가 되어야 합니다.
➡ $874 \div 23 = 38$

18 $4\,\text{km}=4000\,\text{m}$이므로
$4000 \div (44+36) = 50$(분) 후입니다.

19 $112 \div 21 = 5 \cdots 7$이므로 한 분에게 5개씩 나누어 드리면 7개가 남습니다. 따라서 꿀떡이 남지 않게 똑같이 나누어 드리려면 21-7=14(개)의

꿀떡이 더 필요합니다.

20 24개씩 17상자를 포장하는데 필요한 곶감의 개수는 $24 \times 17 = 408$(개)입니다.
곶감이 840개 있으므로 24개들이 상자에 포장하고 남은 곶감의 개수는 $840 - 408 = 432$(개)입니다.
따라서 $432 \div 36 = 12$이므로 36개들이 상자는 12개가 필요합니다

21 어떤 수를 □라 하면 $□ \times 12 = 948$에서 $□ = 948 \div 12 = 79$입니다.
바르게 계산하면 $79 \div 12 = 6 \cdots 7$에서 $○ = 6$, $△ = 7$이므로 $○ + △ = 6 + 7 = 13$입니다.

22 가영이가 책을 읽는 데 $210 \div 35 = 6$(일)이 걸렸습니다.
6일 동안 동민이는 $28 \times 6 = 168$(쪽)을 읽었으므로 남은 쪽수는 $210 - 168 = 42$(쪽)입니다.

23 $□ \div 17 = 36 \cdots △$에서 검산식은 $□ = 17 \times 36 + △$입니다.
나누는 수가 17이므로 나머지는 17보다 작아야 하고 □ 안의 수가 가장 크려면 $△ = 16$일 때입니다.
따라서 $□ = 17 \times 36 + 16 = 628$입니다.

24 $(400 \times 120 - 500 \times 70) \div 25 = 520$(원)

25 $62★$의 ★에 0을 넣으면 $620 \div 36 = 17 \cdots 8$이므로 나머지가 10이 되기 위해서는 ★은 0보다 2 큰 수인 2입니다.
$622 \div 36 = 17 \cdots 10$이므로 $● = 1$, $■ = 7$입니다.
따라서 $★ + ● + ■ = 2 + 1 + 7 = 10$입니다.

26 $□ \times 32 > 706$ ➡ $□ > 706 \div 32 = 22 \cdots 2$에서 22보다 큰 수가 들어갈 수 있습니다.
$17 \times □ < 615$ ➡ $□ < 615 \div 17 = 36 \cdots 3$에서 37보다 작은 수가 들어갈 수 있습니다.
따라서 □ 안에 공통으로 들어갈 수 있는 자연수는 23부터 36까지 14개입니다.

27 세 자리 수를 ■라 하고 나머지를 ▲라 하면, $■ \div 19 = 27 \cdots ▲$입니다.
$■ = 19 \times 27 = 513$보다 크고 $19 \times 28 = 532$보다 작아야 합니다.
따라서 주어진 카드로 만들 수 있는 세 자리 수는 520, 523, 528, 530으로 모두 4개입니다.

28 ㉠에서 나누어지는 수의 일의 자리 숫자는 8입니다.
㉡에서 백의 자리 숫자와 십의 자리 숫자의 합은 10이므로 생각할 수 있는 세 자리 수는 918, 828, 738, 648로 4개입니다.

29 $999 \div 52 = 19 \cdots 11$이므로 가장 큰 세 자리 수는 $□ \div 52 = 18 \cdots 18$에서 $□ = 52 \times 18 + 18 = 954$입니다.
$□ = 52 \times 17 + 17$
$□ = 52 \times 16 + 16$
$\vdots$
$□ = 52 \times 2 + 2$일 때 □는 모두 세 자리 수이므로 52로 나누었을 때 몫과 나머지가 같은 세 자리 수는 17개입니다.

30 4장이 떨어져 나가면 펼쳐진 두 수의 차는 9입니다.
$60 \times 69 = 4140$이고 $70 \times 79 = 5530$이므로 작은 쪽수는 60보다 크고 큰 쪽수는 79보다 작습니다.
$64 \times 73 = 4672$이므로 두 쪽수의 합은 $64 + 73 = 137$입니다.

④ 평면도형의 이동　　　38~47쪽

01 ①	02 ②	03 ③
04 ①	05 ①	06 ③
07 ③	08 ②	09 ②
10 ④	11 ④	12 ⑤
13 ③	14 ②	15 ②
16 ④	17 ⑤	18 ④
19 ④	20 ④	21 ④
22 32	23 ④	24 ④
25 6	26 45	27 881
28 ④	29 44	30 816

KMA 정답과 풀이

02 오른쪽 도형은 위쪽과 아래쪽, 오른쪽과 왼쪽이 서로 바뀐 모양입니다.

03 도형을 위쪽과 왼쪽으로 각각 뒤집어 봅니다.

04 도형을 오른쪽, 왼쪽, 위쪽, 아래쪽으로 뒤집어 봅니다.

05

06 돌린 모양을 보면 위쪽이 아래쪽으로 가고 오른쪽이 왼쪽으로 갔습니다.

08 오른쪽으로 만큼 연속 4번 돌리는 것은 오른쪽으로 만큼 돌리는 것과 같습니다.

09 오른쪽과 왼쪽, 위쪽과 아래쪽의 모양이 서로 바뀌었으므로 오른쪽으로 만큼 돌리기 한 모양과 같습니다.

11
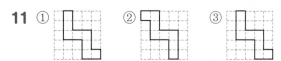

12
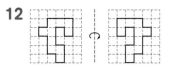
주어진 도형을 오른쪽으로 연속 5번 뒤집은 모양은 1번 뒤집은 모양과 같습니다.

13
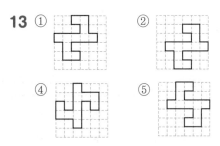

14
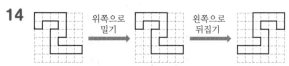
위쪽으로 밀기 / 왼쪽으로 뒤집기

15

아래로 뒤집기 / 시계 방향으로 90°만큼 돌리기

16 오른쪽으로 25번 뒤집은 모양은 오른쪽으로 1번 뒤집은 모양과 같고, 오른쪽으로 만큼 9번 돌린 모양은 오른쪽으로 만큼 1번 돌린 모양과 같습니다.

18 위쪽으로 1번 뒤집고 왼쪽으로 만큼 돌린 모양과 같으므로 ④입니다.

21 방향으로 돌렸을 때 생긴 모양은 방향으로 돌렸을 때 생긴 모양과 같습니다.

22 ☺ → :) → :(→ ⁚) 의 순서로 시계 방향으로 90°만큼 돌리기 하여 규칙적으로 움직이고 있습니다.
4개씩 반복되므로 130번째까지 움직였을 때 3번째 모양은 모두 $130 \div 4 = 32 \cdots 2$에서 32개 나오게 됩니다.

23 아래쪽으로 뒤집은 후 다시 위쪽으로 뒤집으면 처음 도형과 같습니다.

24 도형을 같은 방향으로 연속 2번 뒤집었을 때 생기는 도형은 처음 도형과 같습니다.
따라서 위쪽으로 연속 2번 뒤집은 후 오른쪽으로 짝수 번 뒤집어도 처음 도형과 같습니다.

25 조건에 맞는 것은 ②, ④이므로 $2 + 4 = 6$입니다.

26 오른쪽으로 만큼 돌린 후 위쪽으로는 몇 번을 뒤집더라도 모양은 같습니다.
$1 + 2 + 3 + \cdots + 9 = 45$

27 카드를 한 번씩만 사용하여 만들 수 있는 가장 큰 수는 821 입니다.
821 을 오른쪽으로 뒤집기 한 수인 ㉠은 158 입니다.
821 을 아래쪽으로 뒤집기 한 수인 ㉡은 851 입니다.
821 을 시계 방향으로 180°만큼 돌리기 한 수인 ㉢은 128 입니다.
따라서 ㉠+㉡-㉢$=158 + 851 - 128 = 881$입니다.

28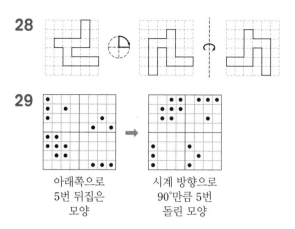

29

아래쪽으로
5번 뒤집은
모양

시계 방향으로
90°만큼 5번
돌린 모양

따라서 '구'자를 점자로 나타내기 위해 점을 표시한 칸의 수를 모두 더하면 6+7+8+23=44 입니다.

30 501을 180°만큼 돌리면 105, 위쪽이나 아래쪽으로 뒤집기 하면 201, 왼쪽이나 오른쪽으로 뒤집기 하면 102가 되므로 가장 작은 수는 102 입니다.
816을 180°만큼 돌리면 918이 되고 가장 큰 수입니다.
➡ 918-102=816

⑤ 막대그래프 48~57쪽

01 2	**02** 24	**03** 2
04 6	**05** 52	**06** 18
07 ⑤	**08** 7	**09** ②
10 18	**11** 10	**12** 6
13 20	**14** 14	**15** 34
16 8	**17** 6	**18** 48
19 100	**20** 4	**21** 35
22 4	**23** 55	**24** 30
25 180	**26** 750	**27** 39
28 750	**29** 624	**30** 9

01 10명을 눈금 5칸으로 나타내었으므로 눈금 한 칸은 10÷5=2(명)을 나타냅니다.

02 세로 눈금 한 칸의 크기는 1명을 나타냅니다. 휴대전화는 24칸이므로 24명입니다.

03 배추김치를 좋아하는 학생은 13명, 열무김치를 좋아하는 학생은 11명입니다.
➡ 13-11=2(명)

04 혈액형이 B형인 학생은
24-7-6-5=6(명)입니다.

05 18+10+16+8=52(명)

06 승용차가 가장 많은 마을은 꽃님마을로 80대이고, 가장 적은 마을은 햇님마을로 62대입니다. 따라서 승용차 수의 차는 80-62=18(대)입니다.

08 포도와 바나나를 좋아하는 학생 수는
30-(10+9)=11(명)이므로
바나나를 좋아하는 학생 수는
(11+3)÷2=7(명)입니다.

09 가장 많은 학생들이 배우고 싶어 하는 운동은 태권도입니다.

10 • 치과 병원은 8개입니다. ㉠=8
• 진료 과목이 가장 많은 병원은 내과로 14개, 가장 적은 병원은 안과로 4개이므로 개수의 차는 14-4=10(개)입니다. ㉡=10
➡ ㉠+㉡=8+10=18

11 태권도를 좋아하는 학생은 25-3-5-7=10(명)이므로 10명까지 나타낼 수 있어야 합니다.

12 초코를 좋아하는 학생 수를 □명이라 하면 콩이를 좋아하는 학생 수는 (□-1)명입니다.
9+7+□+□-1=23, □+□+15=23,
□+□=8, □=4(명)
이므로 콩이를 좋아하는 학생은 4-1=3(명), 초코를 좋아하는 학생은 4명입니다.
따라서 가장 많은 학생들이 좋아하는 반려견의 이름은 코코로 9명, 가장 적은 학생들이 좋아하는 반려견의 이름은 콩이로 3명이므로 학생 수의 차는 9-3=6(명)입니다.

13 석기가 등교하는 데 걸리는 시간 : 20분
동민이가 등교하는 데 걸리는 시간 : 40분
따라서 석기가 40-20=20(분) 더 먼저 학교에 도착합니다.

14 규형이의 몸무게 : 22 kg, 형의 몸무게 : 68 kg,

아버지의 몸무게 : 76 kg
따라서 규형이와 형의 몸무게를 합한 무게와 아버지의 몸무게의 차는
(22+68)−76=14(kg)입니다.

15 (1반)=4+2=6(명), (2반)=7+3=10(명),
(3반)=4+4=8(명), (4반)=4+6=10(명)
따라서 모두 6+10+8+10=34(명)입니다.

16 아틀란티스 한 대에 탈 수 있는 사람은 6명입니다.
45÷6=7 … 3에서 7대이면 3명이 탈 수 없으므로 아틀란티스는 적어도 8대이어야 합니다.

17 (고양이와 뱀을 좋아하는 학생 수)
=33−(10+8+7)=8(명)
뱀을 좋아하는 학생 수를 □명이라 하면 고양이를 좋아하는 학생 수는 (□×3)명입니다.
(□×3)+□=8, □×4=8, □=2
따라서 고양이를 좋아하는 학생은 2×3=6(명)입니다.

18 2명에 해당하는 막대의 길이가 12 mm이므로 1명에 해당하는 막대의 길이는 6 mm입니다.
따라서 수학을 좋아하는 학생은 8명이므로 막대의 길이는 6×8=48(mm)로 해야 합니다.

19 (3학년 학생 수)+(4학년 학생 수)
=140+150=290(명)
(5학년 학생 수)+(6학년 학생 수)
=80+110=190(명)
따라서 290−190=100(명) 더 많습니다.

20 (1반)=8+5=13(명), (2반)=7+8=15(명),
(3반)=9+8=17(명), (4반)=8+6=14(명),
(5반)=7+9=16(명)
따라서 상을 탄 학생이 가장 많은 반과 가장 적은 반의 학생 수의 차는 17−13=4(명)입니다.

21 동화책, 문화상품권, 학용품의 세로 눈금 칸 수의 합은 8+9+4=21(칸)이고 전체 세로 눈금 칸 수의 합은 28칸이므로 장난감의 세로 눈금 칸 수는 28−21=7(칸)입니다.
문화상품권과 학용품의 세로 눈금 칸 수의 합은 9+4=13(칸)이고 학생 수는 65명이므로 세로 눈금 한 칸이 나타내는 학생 수는

65÷13=5(명)입니다.
따라서 장난감의 세로 눈금은 7칸이므로 장난감을 받고 싶은 학생 수는 7×5=35(명)입니다.

22 (포도를 좋아하는 학생 수)
=40−(15+7+10)=8(명)
(학생 수가 가장 많은 과일의 막대의 길이)
=15×5=75(mm)
(학생 수가 가장 적은 과일의 막대의 길이)
=7×5=35(mm)
따라서 길이의 차는
75−35=40(mm)=4(cm)가 됩니다.

23 막대의 길이는 피구 : 11칸, 야구 : 7칸,
줄넘기 : 5칸, 발야구 : 8칸, 축구 : 10칸으로 막대 칸 수의 합은 11+7+5+8+10=41(칸)입니다.
41칸이 205명을 나타내고 41×5=205이므로 가로 눈금 한 칸은 5명을 나타냅니다.
➡ (피구를 좋아하는 학생 수)=11×5=55(명)

24 용희가 일요일과 수요일에 책을 읽은 시간은
45+35=80(분)이고,
금요일에 책을 읽은 시간은 80분의 $\frac{3}{8}$이므로
30분입니다.

25 사과의 총 생산량은 864000÷1200=720(개)
이므로 나 과수원의 사과 생산량은
720−260−120−160=180(개)입니다.

26 가로 눈금 한 칸은 600÷4=150(m)입니다.
병원까지의 거리는 가로 눈금 7칸이므로
150×7=1050(m),
우체국까지의 거리는 가로 눈금 8칸이므로
150×8=1200(m)입니다.
네 장소까지의 거리의 합은 3 km 600 m이므로 집에서 은행까지의 거리는
3600−600−1050−1200=750(m)입니다.

27 빨강 : 30장, 파랑 : 15장, 노랑 : 18장,
보라 : 9장
① 빨간색 색종이가 가장 많은 경우
➡ (초록색 색종이 수)=30−24=6(장)

② 보라색 색종이가 가장 적은 경우
➡ (초록색 색종이 수)=9+24=33(장)
따라서 합을 구하면 6+33=39입니다.

28 (과자 1개의 가격)=12000÷6=2000(원),
(아이스크림 1개의 가격)
=16000÷16=1000(원),
(빵 한 개의 가격)=10000÷8=1250(원),
(음료수 한 개의 가격)=18000÷12=1500(원)
따라서 가영이가 받은 거스름 돈은
10000−2000−1000×3−1250−1500×2
=750(원)입니다.

29 (막대 칸 수의 합)=9+7+13+11=40(칸)
(가로 눈금 한 칸의 크기)=160÷40=4(개)
(감을 포장한 상자의 개수)=13×4=52(개)
(상자에 포장된 감의 개수)=52×12=624(개)

30 주사위 눈 2가 나온 횟수를 □번, 주사위 눈 4가 나온 횟수를 ○번이라 하면
4+□+6+○+5+2=30(번)이므로
□+○=13이고 전체 나온 눈의 수의 합이 93이므로
(1×4)+(2×□)+(3×6)+(4×○)
+(5×5)+(6×2)=93,
2×□+4×○=34입니다.
따라서 2가 나온 횟수는
(13×4−34)÷2=9(번)입니다.

KMA 실전 모의고사

1 회   58~67쪽

01 20	**02** ④	**03** 3
04 25	**05** 3	**06** 28
07 ③	**08** ②	**09** 9
10 4	**11** ⑤	**12** 3
13 140	**14** ⑤	**15** 360
16 828	**17** ④	**18** 3
19 57	**20** 14	**21** 111
22 65	**23** 5	**24** 90
25 5	**26** 31	**27** 70
28 102	**29** 8	**30** 10

01 9980−9990−10000이므로 10000은 9980보다 20만큼 더 큰 수입니다.

02 ㉠은 천만의 자리 숫자이고 ㉡은 천의 자리 숫자이므로 ㉠이 나타내는 값은 ㉡이 나타내는 값의 10000배입니다.

03 둔각은 90°보다 크고 180°보다 작은 각이므로 115°, 150°, 145°로 3개입니다.

04 □=180°−(20°+135°)=25°

05 340×50=17000

06 □÷29의 나머지가 될 수 있는 자연수는 나누는 수보다 작습니다.
따라서 나머지가 될 수 있는 자연수 중에서 가장 큰 수는 28입니다.

08 오른쪽 모양은 위쪽과 아래쪽, 오른쪽과 왼쪽이 서로 바뀐 모양입니다.

09 24−(5+3+7)=9(명)

10 눈금 1칸은 1명을 나타냅니다.
따라서 연날리기를 좋아하는 학생은 9명이고 윷놀이를 좋아하는 학생은 5명이므로 9−5=4(명)입니다.

11 1조를 숫자로 나타내면 1000000000000입니다.
따라서 100만이 1000000개인 수입니다.

12 가장 큰 수인 4가 가장 자릿값이 작은 일의 자리에 있으므로 □□□□□4입니다.
십의 자리 숫자는 일의 자리 숫자인 4보다 1 작으므로 □□□□34입니다.
백의 자리는 읽지 않으므로 □□□034입니다.
만의 자리가 나타내는 수는 20000이므로 □2□034입니다.
자릿값이 가장 큰 자리에 가장 작은 수가 쓰였는데 가장 작은 수인 0이 오면 여섯 자리 수가 되지 않으므로 남은 수 중 가장 작은 수인 1이 오게되어 12□034입니다.
십의 자리에 쓰인 3은 한 번 더 쓰이게 되므로 구하고자 하는 여섯 자리 수는 123034가 됩니다.
따라서 천의 자리의 숫자는 3입니다.

13
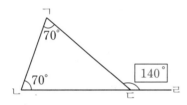

$(각 ㄱㄷㄴ) = 180° - (70° + 70°) = 40°$이므로
$(각 ㄱㄷㄹ) = 180° - 40° = 140°$입니다.

14 ① $185°$ ② $190°$ ③ $180°$ ④ $180°$ ⑤ $200°$

15 $㉮ ÷ 24 = 15$에서 $㉮ = 15 × 24 = 360$입니다.

16 어떤 수를 ★라 하면
★$= 57 × 23 + 17 = 1328$입니다.
★$= 1328$이므로
★$- 500 = 1328 - 500 = 828$입니다.

18 • 시계 반대 방향으로 $180°$ 돌렸을 때 만들어지는 수 : 812
• 오른쪽으로 뒤집기를 15번 하였을 때 만들어지는 수 : 815
➡ $815 - 812 = 3$

19 (여름과 겨울을 좋아하는 학생 수의 합)
$= 157 - (23 + 32) = 102$
(여름을 좋아하는 학생 수)
$= (102 + 12) ÷ 2 = 57(명)$

20 수족관에 가고 싶은 학생은 6명이므로 놀이공원과 미술관에 가고 싶은 학생 수는

$27 - 6 = 21(명)$입니다.
놀이공원에 가고 싶은 학생 수가 미술관에 가고 싶은 학생 수의 2배이므로 놀이공원에 가고 싶은 학생 수는 14명, 미술관에 가고 싶은 학생 수는 7명입니다.

21 ➡ 방향으로는 100배, ⬇ 방향으로는 1000배씩 커지는 규칙이 있습니다.
10만의 1000배는 1억이므로 ㉠$=1$,
1000만의 1000배는 100억이므로 ㉡$=100$,
100억의 1000배는 10조이므로 ㉢$=10$입니다.
따라서 ㉠$+$㉡$+$㉢$= 1 + 100 + 10 = 111$입니다.

22 $(각 ㄱㄷㄴ) = 180° - 75° = 105°$
$(각 ㄱㄴㄷ) = 180° - (35° + 105°) = 40°$
$(각 ㅁㄴㄹ) = 90° - 40° = 50°$
$(각 ㅁㄹㄴ) = 180° - 115° = 65°$
따라서 $(각 ㄴㅁㄹ) = 180° - (50° + 65°) = 65°$

23 $27 × 32 = 864$이고 $27 × 33 = 891$이므로 만든 세 자리 수는 864보다 크고 891보다 작은 수입니다.
따라서 만들 수 있는 세 자리 수는 876, 875, 874, 867, 865로 5개입니다.

24 오른쪽 모양을 위쪽으로 뒤집은 후 시계 방향으로 $90°$만큼 2번 돌리면 처음 도형이 됩니다.

25 표와 막대그래프에서 짜장면을 좋아하는 학생은 9명, 피자를 좋아하는 학생은 13명, 떡볶이를 좋아하는 학생은 11명이므로 떡국을 좋아하는 학생은 $38 - (9 + 13 + 11) = 5(명)$입니다.

26 두 수의 차가 가장 작으려면 40□4□29는 가장 작은 수, 3□85332는 가장 큰 수이어야 합니다. 따라서 그 차는
$4004029 - 3985332 = 18697$입니다.
➡ $1 + 8 + 6 + 9 + 7 = 31$

27 ●$+$●$= 55° +$●이므로 ●$= 55°$입니다
따라서 구하는 각도는 $180° - (55° + 55°) = 70°$입니다.

28 $30 × 30 × 30 = 27000$이고, $40 × 40 × 40 = 64000$이므로 연속하는 세 수는 30보다 크고 40보다 작습니다.

연속하는 세 수의 일의 자리 숫자의 곱이 0이므로 세 수의 일의 자리 숫자는 3, 4, 5 또는 4, 5, 6 또는 5, 6, 7 중에 하나입니다.
$33 \times 34 \times 35 = 39270$, $34 \times 35 \times 36 = 42840$, $35 \times 36 \times 37 = 46620$
이므로 세 수는 33, 34, 35입니다.
따라서 조건을 만족하는 연속하는 세 수의 합은 $33 + 34 + 35 = 102$입니다.

29 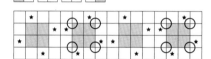 모양을 돌리기 하여 만들 수 있는 모양은

입니다.
○표 한 곳이 돌리기를 이용하여 만든 모양입니다.

30 (감)＋(포도)＋(수박)＝$40 - (8 + 9) = 23$(명)
수박을 좋아하는 학생의 최대 수를 구하여야 하기 때문에 포도를 좋아하는 학생을 1명이라 가정합니다.
(감)＋(수박)＝$23 - 1 = 22$(명)
따라서 감의 개수가 가장 많고, 수박의 수가 최대가 되기 위해서는 감이 12명, 수박이 10명이어야 합니다.

② 회　　　　68~77쪽

01 7	**02** 740	**03** ⑤
04 3	**05** 20	**06** 4
07 ③	**08** ②	**09** 5
10 12	**11** 3	**12** 150
13 9	**14** 75	**15** 18
16 300	**17** ②	**18** 9
19 14	**20** 40	**21** ④
22 95	**23** 5	**24** ⑤
25 13	**26** 24	**27** 360
28 560	**29** 15	**30** 26

01 (7만의 100배＝700만) ➡ (700만의 100배＝7억) ➡ (7억의 100배＝700억) ➡ (700억의 100배＝7조)

02 눈금 8칸이 830억－590억＝240억을 나타내므로 (눈금 한 칸의 크기)＝240억÷8＝30억입니다.
따라서 590억에서 30억씩 5번 뛰어 세면 740억이므로 ㉠에 알맞은 수는 740입니다.

04 □직각＝260°－75°＋85°＝270°이므로 □＝270°÷90°＝3(직각)입니다.

05 $34 \times \square = 646$에서 □＝646÷34＝19이므로 □ 안에는 19보다 큰 수가 들어갈 수 있습니다.

06 (세 자리 수)÷(두 자리 수)의 나눗셈에서 몫이 한 자리 수가 되려면 나누어지는 수의 왼쪽 두 자리 수가 나누는 수보다 작아야 합니다.
➡ ㉠, ㉣, ㉤, ㉥으로 4개입니다.

07 오른쪽으로 만큼 돌리면 위쪽과 아래쪽, 오른쪽과 왼쪽이 서로 바뀝니다.

09 의사가 되고 싶은 학생 : 9명
선생님이 되고 싶은 학생 : 4명
➡ $9 - 4 = 5$(명)

10 (1, 3, 5, 6학년 학생 수의 합)
＝$7 + 11 + 14 + 12 = 44$(명)이므로
(2, 4학년 학생 수의 합)＝$62 - 44 = 18$(명)이고
4학년 학생 수가 2학년 학생 수의 2배이므로
2학년 학생 수는 6명, 4학년 학생 수는 12명입니다.

11 ㉠ 5234267823 ➡ 52억 3426만 7823
이므로 억이 52개
㉢ 이백팔억 육천오백팔십만 칠천사십구
➡ 억이 208개
㉡ 억이 254개이므로 가장 큰 수는 ㉡입니다.
㉡은 억이 254개, 만이 367개, 일이 25개인 수이므로 백만의 자리 숫자는 3입니다.

12 100000000은 100의 1000000배이므로 동전 1억 개의 높이는
$150 \times 1000000 = 150000000$(mm)입니다.
따라서 150 km입니다.

13 작은 각 1개짜리 : 5개
작은 각 2개짜리 : 4개
➡ $5+4=9$(개)

14 현재 시각이 7시이므로 1시간 30분 후의 시각
은 8시 30분입니다.

$㉠=30°×2=60°$이고, $㉡$
의 각의 크기는 시간이 30분
만큼 지났으므로
$30°$의 $\frac{1}{2}$인 $15°$입니다.

따라서 8시 30분에 두 바늘이 이루는 작은 쪽
의 각의 크기는 $60°+15°=75°$입니다.

15 어떤 수를 □라 하면
$□+74=308$, $□=234$입니다.
따라서 바르게 계산하면
$234×74=17316$입니다.
➡ $1+7+3+1+6=18$

16 $5000-(1440÷12×10+500×7)=300$(원)

17 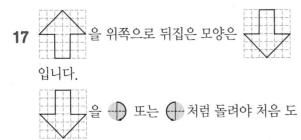 을 위쪽으로 뒤집은 모양은

입니다.

을 또는 처럼 돌려야 처음 도

형이 됩니다.

18 모양을 위쪽으로 뒤집고 시계 방향

으로 $270°$만큼 돌리면 이 됩니다.

따라서 처음 모양과 겹쳐지는 부분은 다음과
같이 9칸입니다.

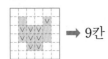 ➡ 9칸

19 (3반 남학생 수)
$=78-(14+8+12+12+18)$
$=78-64=14$(명)

20 영어 학원을 다니는 학생은 12명입니다.
➡ (피아노 학원을 다니는 학생 수)
$=(12×2)-4=20$(명)
따라서 태권도 학원을 다니는 학생은
$80-12-20-8=40$(명)입니다.

21 ① $5000000-400000=4600000$
② $4600000+500000=5100000$
③ $4420000+7700+50=4427750$
④ 4875200
⑤ $540000×10=5400000$
➡ ⑤>②>④>①>③이므로 세 번째로 큰
수는 ④입니다.

22 (각 ㅁㄴㄹ)$=180°-(90°+45°)=45°$이므로
(각 ㄱㄴㅂ)$=90°-45°=45°$입니다.
따라서 (각 ㄱㅂㄴ)$=180°-(50°+45°)=85°$
이므로 (각 ㄱㅂㅁ)$=180°-85°=95°$입니다.

23 동민이에게 남아 있는 병아리는 $17-8=9$(마리)
이고 남은 두 동물의 다리 수는 42개이므로
남은 강아지 수는 $(42-2×9)÷4=6$(마리)입
니다. 따라서 가영이에게 준 강아지는
$11-6=5$(마리)입니다.

24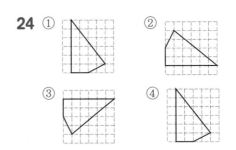

25 세로 눈금 한 칸이 2일을 나타내므로 '좋음'인
날은 4월 : 12일, 5월 : 10일, 6월 : □일,
7월 : (□+4)일입니다.
$12+10+□+□+4=54$, $□+□=28$,
$□=14$이므로 6월은 14일, 7월은 18일입니다.
7월은 31일까지 있으므로 미세먼지 농도가 좋
지 않은 날수는 $31-18=13$(일)입니다.

26 987654□□□□의 각 □ 안에 0, 1, 2, 3 중
하나씩 들어가면 되므로 9876540000보다 큰
수는 모두 $4×3×2×1=24$(개)입니다.

27 오각형의 다섯 각의 합은 540°이므로 구하려는
각도의 합은 $180° \times 5 - 540° = 360°$입니다.

28 ㉮ 제과점에서는 12개를 사면 2개를 더 주므로
24개를 사면 28개를 받을 수 있습니다.
(㉮ 제과점에서 28개의 단팥빵을 살 때 필요한 돈)
$= 790 \times 24 = 18960$(원)입니다.
㉯ 제과점에서는 7개씩 살 때마다 650원을 할
인해 주므로 28개를 사면 2600원을 할인 받을
수 있습니다.
(㉯ 제과점에서 28개의 단팥빵을 살 때 필요한 돈)
$= 790 \times 28 - 2600 = 19520$(원)입니다.
따라서 ㉮ 제과점에서 살 때,
$19520 - 18960 = 560$(원) 이익입니다.

29 색칠되지 않은 칸은 17칸이고
색칠된 칸은 32칸이므로 색칠된
칸의 수와 색칠되지 않은 칸의 수
의 차는 $32 - 17 = 15$(칸)입니다.

30 재현이가 얻은 점수를 □라고 하면
$124 + □ + □ + 50 + 54 = 400$에서 $□ = 86$
(재현이가 맞힌 3점짜리 문제의 개수)
$= (86 - 50) \div 3 = 12$(개)
(건희가 맞힌 5점짜리 문제의 개수)
$= (136 - 54 - 12) \div 5 = 14$(개)
➡ $12 + 14 = 26$(개)

3 회 **78~87쪽**

01	350	**02**	5	**03**	3
04	150	**05**	42	**06**	18
07	③	**08**	③	**09**	98
10	18	**11**	④	**12**	②
13	③	**14**	34	**15**	883
16	927	**17**	②	**18**	②
19	21	**20**	44	**21**	9
22	47	**23**	29	**24**	20
25	800	**26**	6	**27**	360
28	65	**29**	124	**30**	48

02 사십팔억 삼백이십구를 숫자로 나타내면
4800000329이므로 0은 5개입니다.

03 둔각삼각형은 다, 라, 바로 3개입니다.

04 $30° \times 5 = 150°$

05 1분$=60$초이므로 이 기차가 1분 동안 간 거리는
$35 \times 60 = 2100$(m)이고 20분 동안 간 거리는
$2100 \times 20 = 42000$(m)$=42$(km)입니다.

06 $818 \div 25 = 32 \cdots 18$이므로 토마토는 25개씩
32상자에 포장하고 18개가 남습니다.

07 도형을 오른쪽으로 만큼 돌린 것과 같습니다.

08 왼쪽으로 9번 뒤집으면 왼쪽으로 1번 뒤집은
것과 같습니다.

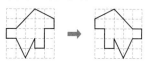

이 도형을 시계 반대 방향으로 180° 돌리면 다
음 모양이 됩니다.

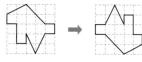

09 (물놀이장을 가고 싶은 학생 수)
$= 18 + 8 = 26$(명)이므로
(전체 학생 수)$= 22 + 26 + 18 + 32 = 98$(명)
입니다.

10 (승용차 수)$= 8 \times 3 = 24$(대)
(버스 수)$= 98 - (12 + 24 + 36 + 8)$
$= 18$(대)

12 □ 안에 0 또는 9를 넣어 생각해 봅니다.
㉠의 □가 0이라 해도 ㉠이 가장 큰 수입니다.
㉡의 □가 9라 해도 ㉡이 가장 작은 수입니다.

13 ③

➡ 예각

14

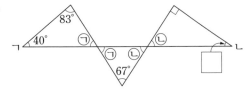

같은 기호의 각은 같은 크기를 나타냅니다.
㉠=180°−(83°+40°)=57°이고
㉡=180°−(67°+57°)=56°입니다.
따라서 ☐=180°−(56°+90°)=34°입니다.

15 (소고기를 사는데 필요한 돈)
=1650×30=49500(원)
(돼지고기를 사는데 필요한 돈)
=970×40=38800(원)
➡ 49500+38800=88300(원)

16 세 자리 수를 ■라 하고 나머지를 ▲라 하면
■÷32=28…▲이고 나누어떨어지지 않으므로
■는 32×28=896보다 크고 32×29=928보
다 작습니다.
따라서 숫자 카드로 만들 수 있는 세 자리 수는
897, 923, 927이므로 가장 큰 수는 927입니다.

17 시계 반대 방향으로 270°만큼 돌린 모양은 시
계 방향으로 90°만큼 돌린 모양과 같습니다.

18

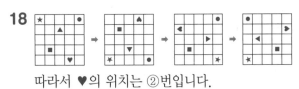

따라서 ♥의 위치는 ②번입니다.

19 미나 : 5칸, 태호 : 7칸, 경서 : 8칸, 지우 : 4칸,
나래 : 11칸이므로 막대 칸 수의 합은
5+7+8+4+11=35(칸)입니다.
35칸이 245개를 나타내고 35×7=245이므로
가로 눈금 한 칸은 7개를 나타냅니다.
따라서 밤을 가장 많이 주운 학생은 나래이고
두 번째로 많이 주운 학생은 경서이므로
(두 사람이 주운 밤의 개수의 차)
=7×11−7×8=21(개)입니다.

20 (비석치기와 투호놀이를 해 보고 싶은 학생 수)
=128−32−24=72(명)
비석치기를 해 보고 싶은 학생 수를 ☐라 하면
투호놀이를 해 보고 싶은 학생 수는 ☐+16입

니다.
☐+☐+16=72, ☐+☐=56, ☐=28이므로
투호놀이를 해 보고 싶은 학생 수는
28+16=44(명)입니다.

21 100만 원의 두께가 9 mm이고,
10억 원은 100만 원의 1000배이므로
9×1000÷1000=9(m)입니다.
별해 100만 원의 두께가 9 mm이면 1000만
원의 두께는 9 cm, 1억의 두께는 90 cm,
10억의 두께는 900 cm이므로 9 m입니다.

22 ㉠=㉡+77°, ㉢=㉡+19°이므로
㉠+㉡+㉢=㉡+77°+㉡+㉡+19°=180°
㉡+㉡+㉡=180°−77°−19°=84°이므로
㉡=28°입니다.
따라서 ㉠=28°+77°=105°,
㉢=28°+19°=47°이므로
두 번째로 큰 각의 크기는 47°입니다.

23 (석범이의 구슬 수)
=(19+35)×3+12=174(개)
(한 사람에게 줄 수 있는 구슬 수)
=174÷6=29(개)

24 위쪽과 아래쪽으로 같은 횟수를 뒤집기 하면
항상 처음 도형과 같습니다.
왼쪽으로 짝수 번 뒤집기하면 항상 처음 도형
과 같습니다.
시계 방향으로 180°씩 짝수 번 돌리기 하면 처
음 도형과 같습니다.
따라서 ☐ 안에 공통으로 들어갈 수 있는 숫자
는 짝수입니다.
➡ 2+4+6+8=20

25 연필을 사는데 쓴 돈이 1200원이므로
세로 눈금 한 칸의 크기는
1200÷6=200(원)입니다.
공책을 사는데 쓴 돈은
200×9=1800(원)이고
지점토를 사는데 쓴 돈은
200×11=2200(원)이므로
물감을 사는데 쓴 돈은
4000÷2=2000(원)입니다.

지수가 물건을 사는데 쓴 돈은 모두
1200＋1800＋2000＋2200＝7200(원)이고
8000원을 냈으므로 거스름돈은
8000－7200＝800(원)입니다.

26 40억을 넘는 경우와 40억을 넘지 않는 경우를 생각합니다.
40억을 넘는 경우 가장 가까운 수는
4012356789이고,
40억을 넘지 않는 경우 가장 가까운 수는
3987654210입니다.
따라서 4000000000－3987654210＝12345790,
4012356789－4000000000＝12356789
이므로 40억에 더 가까운 수는 3987654210입니다.
따라서 십만 자리의 숫자는 6입니다.

27

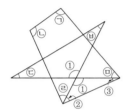

ⓒ＋ⓗ＋①＝180°
㉠＋ⓛ＋㉣＋②＋③＋㉱＝360°
➡ ㉠＋ⓛ＋㉣＋②＋③＋㉱＋ⓒ＋ⓗ＋①
＝360°＋180°＝540°
①＋②＋③＝180°이므로
㉠＋ⓛ＋ⓒ＋㉣＋㉱＋ⓗ＝360°

28 (누리호가 1분 동안 갈 수 있는 거리)
＝15×30＝450(km)
(KTX가 최고 속도로 갔을 때 걸린 시간)
＝450÷5＝90(분)
전투기의 최고 속도는 1초에 300 m이므로 1분에는 60×300＝18000(m) ➡ 18 km입니다.
(전투기가 최고 속도로 갔을 때 걸린 시간)
＝450÷18＝25(분)
➡ 90－25＝65(분)

29 아래쪽으로 11번 뒤집은 모양은 아래쪽으로 1번 뒤집은 모양과 같고, 시계 반대 방향으로 270°만큼 13번 돌린 모양은 시계 반대 방향으로 270°만큼 1번 돌린 모양과 같습니다.

따라서 색종이가 떨어진 위치는 7, 11, 12, 13, 18, 19, 20, 24이므로
7＋11＋12＋13＋18＋19＋20＋24＝124
입니다.

30 그림그래프에서 ● : 10명, ▲ : 5명, ✦ : 1명을 나타냅니다.
따라서 조사에 참여한 학생은 모두
14＋16＋8＋10＝48(명)입니다.

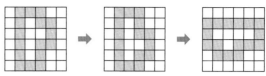

KMA 최종 모의고사

① 회   88~97쪽

01	100	02	11	03	52
04	60	05	⑤	06	699
07	④	08	90	09	184
10	420	11	6	12	8
13	32	14	180	15	⑤
16	951	17	8	18	⑤
19	40	20	14	21	6
22	26	23	496	24	767
25	18	26	7	27	60
28	7	29	6	30	6

01 ㉠은 천만의 자리 수이므로 60000000을 나타내고 ㉡은 십만의 자리 수이므로 600000을 나타냅니다.
따라서 ㉠이 나타내는 값은 ㉡이 나타내는 값의 100배입니다.

02 천만의 자리가 1씩 커지므로 1000만씩 뛰어 센 것입니다.
8억 7000만－8억 8000만－8억 9000만
－9억－9억 1000만－<u>9억 2000만</u>
                                      ㉠

⊙에 알맞은 수는 9억 2000만이므로 각 자리 숫자의 합은 9＋2＝11입니다.

03

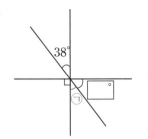

⊙＝38°이므로
180°－(90°＋38°)
＝52°

04

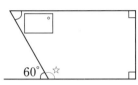

그림에서
☆＝180°－60°
＝120°

이고 사각형의 네 각의 합은 360°이므로
□＝360°－(120°＋90°＋90°)＝60°입니다.

05 ①, ②, ③, ④ 21000
⑤ 13500

06 어떤 수를 70으로 나누었을 때 가장 큰 나머지는 69입니다.
따라서 가장 큰 수는 70×9＋69＝699입니다.

07 ①, ②, ③, ⑤ :

④ :

참고 같은 방향으로 짝수 번 뒤집은 도형의 모양은 처음 도형과 모양이 같습니다.

08 모양을 시계 방향으로 90°만큼 돌려서 모양을 만든 후( ) 그 모양을( ) 오른쪽과 아래쪽으로 밀어서 무늬를 만든 것입니다.

09 (30＋12＋22＋28)×2
＝92×2＝184(개)

10 1500－(520＋320＋240)＝420(분)

11 두 수의 자릿수는 아홉 자리로 모두 같습니다.
왼쪽 수의 천만의 자리 숫자가 4이므로 □ 안에 4부터 차례로 넣어 크기를 비교합니다.

□ 안에 4, 5, 6, 7, 8, 9의 숫자를 넣으면 조건에 맞으므로 □ 안에 공통으로 들어갈 수 있는 숫자는 모두 6개입니다.

12 7000억에 가장 가까운 숫자는 천억의 자리 숫자가 6이면서 가장 큰 수이거나 천억의 자리 숫자가 7이면서 가장 작은 수입니다. 천억의 자리 숫자가 6이면서 가장 큰 수는 688776332200이고 천억의 자리 숫자가 7이면서 가장 작은 수는 700223366788입니다. 따라서 7000억에 더 가까운 수는 700223366788이므로 십억의 자리에 쓰인 숫자는 0, 천만의 자리에 쓰인 숫자는 2, 천의 자리에 쓰인 숫자는 6이므로 세 수의 합은 0＋2＋6＝8이 됩니다.

13

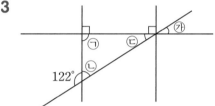

그림에서
⊙＝180°－90°＝90°
ⓒ＝180°－122°＝58°
ⓒ＝180°－(90°＋58°)＝32°
㉮와 ⓒ은 서로 같으므로 ㉮는 32°입니다.

14 삼각형에서 세 각의 크기의 합은 180°이므로
⊙＝180°－35°－20°＝125°입니다.
사각형에서 네 각의 크기의 합은 360°이므로
(나머지 한 각의 크기)
＝360°－95°－50°－90°＝125°이고
ⓒ＝180°－125°＝55°입니다.
따라서 ⊙＋ⓒ＝125°＋55°＝180°입니다.

15 준비해 가야 하는 돈을 어림하는 것이므로 돈을 모자르게 어림하면 안 됩니다.
480×18＝8640(원)으로 계산 결과와 가장 가깝게 어림한 사람은 나래이지만 실제 필요한 돈을 바르게 어림한 사람은 주호입니다.

16 나머지가 28－1＝27일 때 ■가 가장 큽니다.
■＝28×33＋27＝951입니다.

17 B, C, D, E, H, I, K, O ➡ 8개

18

오른쪽으로   시계 방향으로
뒤집기   270° 돌리기

19 눈금 한 칸의 크기는 $30 \div 6 = 5$(분)입니다.
따라서 금요일에 책을 읽은 시간이 15분이므로 수요일에 책을 읽은 시간은 $15 \times 3 - 5 = 40$(분)입니다.

20 가영이네 집에서 학교까지의 거리는 1200 m입니다.
6분에 300 m를 걸으므로 1200 m를 걷는 데는 $6 \times 4 = 24$(분)이 걸립니다.
따라서 출발 시각은
오전 8시 30분-24분$=$오전 8시 6분입니다.
➡ $8 + 6 = 14$

21 가장 큰 수 : 8885554442220
두 번째로 큰 수 : 8885554442202
세 번째로 큰 수 : 8885554442200
네 번째로 큰 수 : 8885554442022
다섯 번째로 큰 수 : 8885554442020
따라서 다섯 번째로 큰 수의 백의 자리 숫자는 0, 천의 자리 숫자는 2, 만의 자리 숫자는 4이므로 $0 + 2 + 4 = 6$입니다.

22

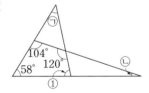

ⓘ $= 360° - (104° + 58° + 120°) = 78°$
㉠ $= 180° - (58° + 78°) = 44°$
㉡ $= 180° - (104° + 58°) = 18°$
㉠$-$㉡$= 44° - 18° = 26°$

23 짝수 번째 묶음의 수의 합에서 규칙을 찾아봅니다.
두 번째 묶음 : $7 + 9 = 16$
네 번째 묶음 : $17 + 19 = 36$
여섯 번째 묶음 : $27 + 29 = 56$
짝수 번째의 묶음 수의 합은 16, 36, 56, $\cdots$으로 20씩 늘어납니다.

따라서 50번째 묶음에 있는 수의 합은 $16 + 20 \times 24 = 496$입니다.

24 모양을 같은 방향으로 짝수 번을 뒤집으면 처음 모양과 같습니다.
왼쪽 그림에서 ↓, ←, ➡의 개수는 짝수 개이고, ↑의 개수는 홀수 개이므로 ↑만 생각하면 됩니다.
↑을 시계 방향으로 90°만큼 돌린 후 왼쪽으로 뒤집으면 ←이 됩니다.
따라서 281+582를 왼쪽으로 뒤집으면 582+185이므로 덧셈식의 결과는 767입니다.

25 수상자가 가장 많은 학년은 5학년으로 $21 + 24 = 45$(명)이고,
수상자가 가장 적은 학년은 6학년으로 $12 + 15 = 27$(명)입니다.
따라서 두 학년의 수상자 수의 차는 $45 - 27 = 18$(명)입니다.

26 뒤집어진 카드에 올 수 있는 숫자는 1, 5, 6, 7, 9 중 하나입니다.
4000억에 가장 가까운 숫자는 천억의 자리 숫자가 3이면서 가장 큰 수이거나 천억의 자리 숫자가 4이면서 가장 작은 수입니다.

	천억의 자리 숫자가 4이면서 가장 작은 수	천억의 자리 숫자가 3이면서 가장 큰 수
1	400112233488	388443221100
5	400223345588	388554432200
6	400223346688	388664432200
7	400223347788	388774432200
9	400223348899	399884432200

천억의 자리 숫자가 4이면서 가장 작은 수와 천억의 자리 숫자가 3이면서 가장 큰 수의 차가 11668913388일 때, 천의 자리 이하의 각 자리 수를 만족하기 위해서는 뒤집어진 카드의 숫자가 5가 되어야 합니다. 따라서 4000억에 더 가까운 수는 400223345588이므로 일억의 자리에 쓰인 숫자는 2, 천의 자리에 쓰인 숫자는 5이므로 두 수의 합은 $2 + 5 = 7$이 됩니다.

27 (각 ㉮)$= 180° - (80° + 55°) = 45°$,
(각 ㉯)$= 140° - (180° - 55°) = 15°$

KMA 정답과 풀이

따라서 $45°+15°=60°$입니다.

28 영수가 20번 모두 이겼다면 $60+20×8=220$(개)의 밤을 가지고 있게 됩니다.
또, 영수가 한 번 질 때마다 220개의 밤에서 $8+5=13$(개)씩 바구니에 넣은 셈이 됩니다.
따라서 51개의 밤이 남았으므로
$220-51=169$(개)를 바구니에 넣은 것이고, 영수가 진 횟수는 $169÷13=13$(번)이므로 7번을 이겼습니다.

29
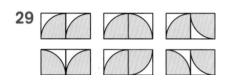

30 20점은 1번만 맞힌 경우이고, 30점은 2번만 맞힌 경우입니다.
50점은 1번과 2번을 맞힌 경우와 3번만 맞힌 경우에 해당합니다.
70점은 1번과 3번, 80점은 2번과 3번, 100점은 1번, 2번, 3번 문제를 모두 맞힌 경우입니다.
두 문제만 맞힌 학생 수가 18명이므로
$18-(8+5)=5$(명)으로 이것은 50점을 받은 학생 수 중에서 1번과 2번을 맞힌 학생 수입니다. 3번만 맞힌 학생 수를 □명이라 하면
$(20×10)+(30×7)+(50×□)$
$=(50×5)+(70×8)+(80×5)$
$\qquad\qquad +(100×3)-800$
$50×□=710-410=300$, $□=6$
따라서 3번만 맞힌 학생은 6명입니다.

---

②회   98~107쪽

01 ③	02 6	03 ⑤
04 78	05 2	06 18
07 ③	08 ④	09 96
10 1	11 ④	12 4
13 135	14 70	15 175
16 11	17 327	18 32
19 42	20 6	21 11
22 125	23 24	24 40
25 26	26 12	27 360
28 25	29 8	30 64

01 ①, ②, ④, ⑤는 모두 1억을 나타내는 수이고 ③은 1억 90만이므로 ③입니다.

02 두 수의 백만의 자리 숫자가 8과 9이고 202048976375의 천만의 자리의 숫자가 4이므로 2020□9802431의 천만의 자리에 들어갈 수 있는 숫자는 4, 5, 6, 7, 8, 9로 모두 6개입니다.

03 시계의 긴바늘과 짧은바늘이 이루는 작은 쪽의 각이 ①, ③, ④는 예각, ②는 직각, ⑤는 둔각입니다.

04 $145°-67°=78°$

05 $5⑦7=23×22+21=527$이므로 ⑦에 알맞은 숫자는 2입니다.

06 $105×69=7245$(원) ➡ $7+2+4+5=18$

07
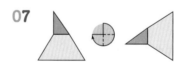

09 $21+20+24+10+6+15=96$(명)

10 1반 : 4명, 2반 : 1명, 3반 : 3명, 4반 : 1명

11 ④ 두 번째로 작은 수를 만들면 1035698이므로 숫자 3이 나타내는 수는 30000입니다.

12 $76□5221357>765□282825$에서 십억, 억, 십만의 자리의 숫자가 같고, 만의 자리의 숫자가 $2<8$이므로 □ 안에는 5보다 큰 숫자가 들어가야 합니다.

따라서 □ 안에 공통으로 들어갈 수 있는 숫자는 6, 7, 8, 9로 모두 4개입니다.

13

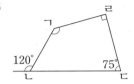

각 ㄱㄴㄷ의 크기는
$180°-120°=60°$
입니다.

따라서 각 ㄴㄱㄹ의 크기는
$360°-(90°+60°+75°)=135°$입니다.

14 각 ㄴㄷㅁ의 크기는
$360°-90°-90°-70°=110°$이고
각 ㅁㄷㄹ은 $180°-110°=70°$입니다.
따라서 각 ㄷㅁㄹ의 크기는
$180°-(70°+40°)=70°$입니다.

15 어떤 수를 □라 하면
$(□+50)÷5-23=22$
$(□+50)÷5=45$
$□+50=225$
$□=175$입니다.

16 아버지의 연세를 □, 내 나이를 △라 하면
$□=△×4-5 \cdots$ ①
$73=□×2-5 \cdots$ ②
②식에서 $□=(73+5)÷2=39$(세)
①식의 □ 대신에 39를 넣어서 계산하면
$39=△×4-5$, $△=(39+5)÷4=11$(살)

17 그림을 아래로 뒤집은 후 다시 오른쪽으로 뒤집으면 592가 됩니다.
따라서 두 수의 차는 $592-265=327$입니다.

18

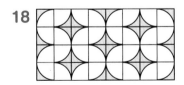

➡ $8×4=32$(개)

19 막대가 가장 긴 사람은 아버지이고, 두 번째로 짧은 사람은 누나입니다.
따라서 두 막대는 21칸 차이가 나므로 두 사람의 몸무게의 차는 $21×2=42$(kg)입니다.

20 가을을 좋아하는 학생을 □명이라 하면
$7+□-7+□+□-5=28$입니다.
$3×□=33$, $□=11$이므로
겨울을 좋아하는 학생은 $11-5=6$(명)입니다.

21 1000만 원짜리 수표 5장, 10만 원짜리 수표 133장, 만 원짜리 지폐 210장을 저금하면 65400000원입니다.
$76400000-65400000=11000000$(원)이므로
100만 원짜리 수표는 11장입니다.

22

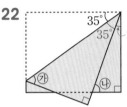

$㉮=180°-(35°+90°)$
$=55°$
$㉯=180°-(20°+90°)$
$=70°$

따라서 $㉮+㉯=55°+70°=125°$입니다.

23 9□4는 $42×23=966$보다 크거나 같고
$42×24=1008$보다 작은 수입니다.
따라서 9□4는 974, 984, 994이므로
□ 안에 들어갈 수 있는 숫자의 합은
$7+8+9=24$입니다.

24 2번, 4번, 6번 뒤집었을 때
원은 4개, 8개, 12개로 4개씩 늘어납니다.
따라서 원이 80개가 되려면 $4×20$이므로
2번 뒤집어진 것이 20번 있어야 하므로
$2×20=40$(번) 뒤집어야 합니다.

25 미소가 넣은 콩주머니의 수 :
$20-14=6$(개)
기영이가 넣은 콩주머니의 수 :
$20-2=18$(개)
용호가 넣은 콩주머니의 수 : 16개
나연이가 넣은 콩주머니의 수를 □개라고 하면
$60+□×10-(20-□)×3=156$
$13×□=156$, $□=12$(개)
콩주머니를 가장 많이 넣은 사람은 기영이고, 두 번째로 많이 넣은 사람은 용호이므로 두 사람의 점수의 차는
$(60+18×10-2×3)-(60+16×10-4×3)$

=234－208=26(점)입니다.

26 207325416＞20㉠529735에서
십만의 자리 숫자가 3＜5이므로
백만의 자리 숫자는 7＞㉠입니다.
20㉠529735＞205418266에서
십만의 자리 숫자가 5＞4이므로
백만의 자리 숫자는 ㉠=5 또는 ㉠＞5입니다.
따라서 ㉠에 들어갈 수 있는 숫자는 5, 6입니다.
205418266＞20541823㉡에서
십의 자리 숫자가 6＞3이므로
㉡에 들어갈 수 있는 숫자는 0부터 9까지 모두
될 수 있습니다.
➡ 2＋10=12(개)

27 3개의 큰 삼각형의 내각의 총합에서 가운데 작은 내각의 합을 빼서 해결합니다.
따라서 180°×3－180°=360°입니다.

28 세 자리 수를 ㉮라 하면
㉮÷27=3 … 1 ➡ ㉮=27×3+1=82(×)
㉮÷27=4 … 2 ➡ ㉮=27×4+2=110(○)
따라서 가장 작은 세 자리 수는 110입니다.
또한 27로 나누었을 때 가장 큰 나머지는 26이므로 ㉮÷27=28 … 26에서 가장 큰 세 자리 수는 ㉮=27×28+26=782입니다.
그러므로 구하고자 하는 세 자리 수는 나머지가 2인 수부터 26까지인 수이므로
26－1=25(개)입니다.

29 주어진 무늬를 만들 수 있는 모양 중에서 가장
작은 정사각형은 이므로
주어진 무늬를 만들 수 있는 모양 중에서 넓이가
두 번째로 작은 정사각형은 입니다.
따라서 주어진 무늬를 만들려면 정사각형 8개가 필요합니다.

30 영수가 가지고 있는 붙임딱지는 20장이므로
✦은 20÷4=5(장)을 나타냅니다.
가영이가 가지고 있는 붙임딱지는 6장이므로

●은 1장을 나타냅니다.
따라서 붙임딱지는 모두
14＋16＋8＋6＋20=64(장)입니다.

Memo

Memo

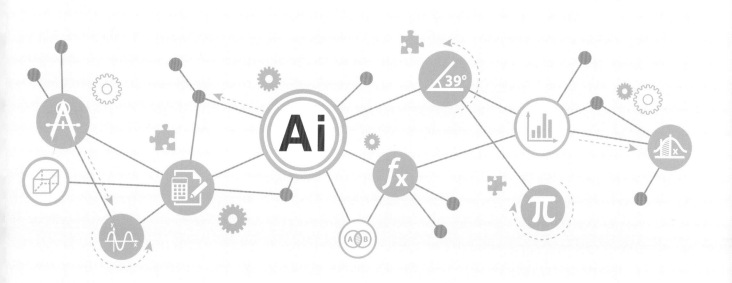

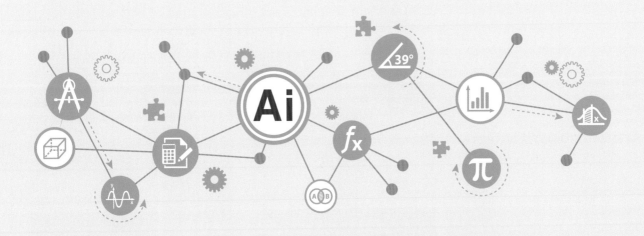